Leonardo da Vinci

Sherwin B. Nuland

Leonardo da Vinci

☆ COLEÇÃO BREVES BIOGRAFIAS ☆

Tradução
Marcos Santarrita

Título original
Leonardo da Vinci

EDITORA OBJETIVA LTDA. Rua Cosme Velho, 103
Rio de Janeiro – RJ – Cep: 22241-090
Tel.: (21) 556-7824 – Fax: (21) 556-3322
www.objetiva.com.br

Capa
Ettore Bottini

Revisão
Tereza da Rocha
Neusa Peçanha

Editoração Eletrônica
Abreu's System Ltda.

2001

N969l
Nuland, Sherwin
Leonardo da Vinci / Sherwin Nuland. – Rio de Janeiro: Objetiva, 2001

151 p.: (Breves biografias) ISBN 85-7302-382-1
Tradução de: *Leonardo da Vinci*

1. Vinci, Leonardo da (1452 - 1508) – Biografia. 2. Artes – História. I. Série. II. Título

CDD 927

A meus dois italianos:
Salvatore Mazza e meu irmão, Vittorio Ferrero

SUMÁRIO

Leonardo da Vinci

I

EM BUSCA DO HOMEM

NO OITAVO ANO de meu fascínio quase idólatra pela vida de Leonardo da Vinci, fiz uma peregrinação à casa onde ele nasceu. Pelo menos, era o que eu pensava.

Foi em 1985, e eu estava com minha esposa Sarah em Florença. Em nossa segunda manhã na cidade, sem a mínima previsão, decidimos de repente visitar Vinci, onde nenhum de nós estivera antes.

Que melhor lugar para obter orientação que o Museo di Storia della Scienza? Encontrando-o fechado, bati na pesada porta de madeira, que para minha surpresa foi aberta, apenas uma fenda, por uma mulher que me ouviu e foi lá dentro consultar o *direttore*. Voltou logo com o chefe, e Sarah e eu logo nos vimos no trem para Empoli, uma distância de cerca de 12 quilômetros. De lá, fizemos uma curta viagem de ônibus até Vinci. A cidadezinha não se distinguia da maioria das outras na área, a não ser por ter um pequeno museu onde se podia examinar modelos de máquinas inspiradas pelo artista. E havia mais alguma coisa. Grandes placas de sinalização indicavam o caminho para La Casa Natale di Leonardo — a casa onde nascera o grande homem —, que diziam ficar a três quilômetros. O que as placas não diziam era que os três quilômetros eram todos por uma íngreme colina, que então passamos a subir.

Após chegarmos ao topo, fomos recompensados com uma grande construção de pedra, visivelmente a ruína de uma casa do Renascimento.

Estranhamente, nem Sarah nem eu tivemos a sensação de euforia que havíamos esperado. O interior da casa consistia em um único aposento, com piso de pedra e uma larga lareira no fundo. Uma velha vendia postais de suvenir. Não havia mais nada, física ou espiritualmente. O que quer que esperássemos encontrar, ali não estava.

Uns poucos outros turistas vagavam ao acaso por aquele espaço, parecendo tão decepcionados quanto nós. Tentei fingir entusiasmo, por causa de Sarah, e ela fez o mesmo por mim, mas de nada adiantou. Após todo o trabalho para chegarmos ao lugar natal de meu herói, o resultado era anticlimático. Ainda assim, *era* o lugar natal dele, mesmo que os austeros tijolos velhos não tivessem mensagem alguma para nós. A princípio, relutamos em partir, continuando, creio, a agarrar-nos à esperança de que um de nós recebesse alguma inspiração apenas pela idéia de estarmos ali. Depois de uns 20 minutos sem nenhuma conseqüência palpável, decidimos ir embora. Pegando uma carona na Mercedes de um turista alemão, fizemos em pouco tempo a volta ao centro da cidadezinha. Sem a expectativa da subida, a descida pela longa colina foi deprimente. O ano de 1985 fora de seca — todas as oliveiras continuavam estéreis e murchas, o mato pardo, o solo crestado e quase arenoso. Numa atmosfera assim, era difícil evocar a imagem clássica de Leonardo criança, cabelos louros, cada vez mais encantado com as belezas de toda a magnificência da natureza viva à sua volta, a correr pela luxuriante beleza dos campos circundantes.

E o pior ainda estava por vir. Muito tempo depois, acabei por compreender, pelas leituras e conversas com amigos italianos, que ninguém tinha idéia de onde Leonardo nascera. Na verdade, sua casa natal pode nem mesmo ter sido em Vinci. Segundo alguns, ele nasceu na cidadezinha próxima de Anchiano e só foi levado para Vinci após alguns anos, ou talvez alguns meses. É possível que Sarah e eu tenhamos estado na casa onde ele nasceu, mas também é possível que não. Para aumentar a confusão, descobrimos depois que nossa subida à colina nos tirara de Vinci e levara à própria Anchiano, cujos cidadãos consideram a Casa Natale di Leonardo uma impostura para enganar turistas crédulos.

Leonardo não seria encontrado naquele lugar. Na verdade, em *nenhum* lugar. Não é uma criatura de lugares e monumentos, nem mesmo de permanência. Brilhou em sua época e desapareceu, deixando um vasto conjunto de obras das quais quase nenhuma, com exceção das pinturas, pôde ser plenamente apreciada senão séculos após a sua morte, e longe da casa onde quase certamente não nasceu. Citando a famosa declaração de Freud: "Ele foi como um homem que acordou cedo demais na escuridão, enquanto os outros continuavam a dormir", o eminente estudioso vinciano Ladislao Reti deu seqüência à imagem observando o número de manuscritos de Leonardo que desapareceram nessa escuridão. Só através da redescoberta recente de alguns deles o enigma de seu gênio está sendo esclarecido. E, no entanto, ele continua e continuará sendo exatamente o que Reti o chama: o desconhecido Leonardo.

Leonardo da Vinci foi uma criatura de idéias. Em certos aspectos, é inatingível; em outros, está tão perto de nós que ouvimos facilmente a sua voz. Sabe-se muito mais sobre seu pensamento e o grande alcance de sua mente que sobre os fatos e circunstâncias concretos de sua vida. Mas mesmo o pensamento deve continuar sempre obscuro para nós. Se ele é, como tão adequadamente o chama Sir Kenneth Clark, "o homem de mais incansável curiosidade da história", é também a figura histórica sobre a qual mais incansável se mostra a nossa curiosidade.

Como deve em última análise continuar desconhecido para nós, também para ele continuam as restrições que forçosamente o impediram de alcançar seus objetivos de estudioso da natureza. Sem os instrumentos, a matemática, os métodos experimentais de uma época posterior, não poderia saber em que direção partir para atingir a meta final, que era a sistematização de todo o conhecimento da natureza. Por isso partiu em todas as direções ao mesmo tempo, e a maior das maravilhas é como conseguiu realizar coisas sem as tecnologias e informações com que só contariam os pensadores modernos. Tem sido criticado, hoje e em sua época, por ter acabado muito pouco do que começou. E no entanto, como poderia ter sido diferente, pelo menos nas áreas do trabalho científico? As sondagens de sua mente foram muito além do conhecimento e tecnologia de apoio daquele tempo. Se contasse com mais, certamente teria libertado seu gênio para voar tão longe na realidade quanto o fez em conjeturas e fantasias. Kenneth Keele, a principal autoridade nos estudos anatômicos de Leonardo, certa vez me enviou um parágrafo extraído de uma carta a um amigo comum, em que descrevia seus sentimentos sobre essas questões, despertados quando trabalhava em alguns manuscritos de Leonardo:

A cada página, fico fascinado por suas perguntas e respostas inteligentes. Mas muitas vezes me vejo percebendo que, por mais inteligentes que sejam, por mais peso que tenham as perguntas, se não existe a base de apoio de conhecimento, as respostas têm de conter erros. Isso dá inevitavelmente um tom de tristeza à minha história; e quanto mais Leonardo se debate dentro de suas cadeias de ignorância, mais triste ela se torna. Sobretudo porque, embora ele quebre os grilhões em muitos lugares, jamais escapa deles. Imagino se em vários campos (eu citaria a sociologia, psicologia, tanatologia) não nos achamos num estado igualmente triste hoje, quando as cadeias não são menos poderosas por nos serem desconhecidas, e mesmo não sentidas.

Claro, é verdade que, assim como não temos meio de conhecer ou mesmo estimar as cercas e grilhões que ainda limitam até mesmo estudos baseados na matemática, como a física e a astronomia de nosso tempo — quanto mais os campos mais difusos do interesse de Keele —, Leonardo não poderia conhecer as limitações do século XV às suas possíveis realizações. Como as via, não havia limites nem impossibilidades; trabalho árduo e aplicação constante resolveriam todos os enigmas. "Deus nos vende coisas boas a todos, ao preço do trabalho", ele escreveu, citando Horácio. Mas Leonardo (como Horácio) estava errado, e não apenas porque suas idéias ultrapassavam sua época. Embora fosse um homem muito além do seu tempo, ainda era um homem de seu tempo, sujeito a preconcepções profundamente internalizadas, pelas quais foi levado ao erro sem o saber em algumas interpretações. Por mais que o negasse e tentasse evitá-lo, era apesar disso influenciado pelas formulações dos seus antecessores e limitado pelo espírito do Renascimento. Por mais livre e aberto que se tenha proclamado esse espírito, só o era em comparação com o que viera antes. Leonardo precisava do século XVII, ou talvez do XX. O que era necessário não era apenas o espírito de uma época posterior, mas o próprio conhecimento dessa época, e o afrouxamento dos preconceitos inerentes a tempos anteriores. Sem isso, mesmo esse expansivo alcance do intelecto humano tem de deixar-nos com a tristeza que Keele sentiu, porque não podia ser de outro jeito.

E no entanto, apesar das limitações impostas por tais inevitáveis grilhões, a mente de Leonardo era moderna, a primeira de seu tipo que a posteridade pode reconhecer no passado. Como todo verdadeiro cientista, de todas as eras, aprendeu com a natureza e decidiu jamais deixar-se escravizar conscientemente ao pensamento do passado. O fato de o passado às vezes entrar inconscientemente nas interpretações do que via não deve cegar-nos para o distanciamento com que ele tentou fazer suas observações. Só com pouca freqüência seus textos se referem a grandes homens da Antiguidade. Ele combateu com vigor as invisíveis tentações de sua herança intelectual, e ganhou muito mais vezes do que perdeu. "Qualquer um que, na discussão, se baseia na autoridade, não usa o entendimento, mas a memória", escreveu. Em última análise, confiava apenas no que via nos estudos. Os erros de interpretação que inevitavelmente se insinuam em seus textos resultavam de uma tradição herdada tão generalizada que nem o pensamento de um gênio de tal magnitude podia escapar inteiramente.

Embora tenha sido muitas vezes chamado de representante último do homem do Renascimento, muito se pode dizer em defesa do argumento de que Leonardo apenas em parte foi um homem do Renascimento. Epitomizando o gosto pela vida e a natureza que foi o princípio orientador do humanismo, ele ao mesmo tempo evitou a dependência de fontes antigas e a repetição servil de seus princípios que igualmente caracterizaram seus estudiosos. "Os que estudam os antigos e não as obras da Natureza", escreveu, "são enteados e não filhos da Natureza, a mãe de todos os bons autores." Foi o primeiro a abordar os pronunciamentos de Aristóteles, Ptolomeus e Galenos como doutrinas a serem mais testadas e contestadas do que necessariamente aceitas e afirmadas. O fato de seu sistema básico de referência se originar dos textos deles significou apenas que ele foi de fato um homem falível de sua época; alguns de seus erros importantes e oportunidades perdidas resultaram desse pano de fundo de pensamento clássico a que não podia escapar. Sua astronomia era em grande parte ptolomaica e sua fisiologia galênica. Mas quando a objetividade dos olhos lhe mostrou outra coisa, ao passar a "apreciar abundantemente as infinitas obras da natureza", ele não hesitou em dizê-lo. E esse é o motivo pelo qual encontramos num de seus cadernos de anotações uma declaração espantosa como: "O sol não se move." Como o sentido último era questionar a herança de épocas anteriores e buscar apenas a verdade da experiência própria, pôde abrir novos caminhos em territórios que os contemporâneos julgavam ter sido mapeados muito antes de seu tempo.

O tema da ciência de Leonardo é o método experimental, um método de estudar a natureza tido como só introduzido no século XVII; foi a chave para a chamada Revolução Científica, pela qual esse século é famoso. Mas Leonardo já acordara na escuridão. Se houvesse ficado na cama por mais 200 anos, teria tido menos grilhões e teria sido beneficiário de muito mais conhecimento e tecnologia. Quem pode duvidar que deixaria uma herança que rivalizaria com as de Kepler, Galileu, Harvey e mesmo Isaac Newton — e provavelmente as superaria!

Foi esse o Leonardo da Vinci que me fascinou durante todos esses anos, em particular o anatomista. A magnificência de seus dotes artísticos e o esplendor de suas pinturas são bem conhecidos pelo mundo. Ele viveu, afinal, numa época em que a realização artística era a glória de príncipes e populacho igualmente. Giorgio Vasari, escrevendo uma geração depois como pintor sobre pintores, deixou ao mundo uma imagem indelével do Leonardo "verdadeiramente admirável de fato, e divinamente dotado. Ele poderia ter sido um cientista, não fosse tão versátil. Mas a instabilidade de seu caráter o fez tomar e abandonar muitas coisas". Estas palavras, na edição de 1568 da *Vida dos Pintores*, de Vasari, foram escritas muito antes que se tornasse possível qualquer compreensão dos feitos científicos de Leonardo. Como tantos outros na época, Vasari viu-o como um artista muito menos produtivo do que poderia ter sido se não houvesse brincado com a ciência. O que se tomava como instabilidade era apenas a comichão de Leonardo para retornar ao trabalho científico, do qual muitas vezes se sentia desviado pelas questões mais práticas da produtividade artística. Durante longos períodos irritou-se mesmo com a pintura. Assim, numa carta em que tenta explicar a uma ávida patronesse, Isabella d'Este de Mântua, por que a encomenda de um retrato dela fora adiada, Fra Pietro di Novellara, vigário geral da Ordem dos Carmelitas, escreveu-lhe em abril de 1501: "As experiências matemáticas dele o afastaram tanto da pintura que ele não suporta pegar no pincel." Essa atitude era incompreensível para todos, com exceção de uns poucos colegas e patronos. Embora Vasari se maravilhasse com os estudos anatômicos, acreditava que o herdeiro de Leonardo, Francesco Melzi, apenas "guarda esses desenhos como relíquias", pois se julgava ser só esse o seu valor.

Hoje sabemos que não. Sabemos que embora Leonardo iniciasse estudos anatômicos para dar vida à sua arte, eles com o tempo se tornaram um entusiasmo em si, e finalmente um dos maiores trabalhos em que seu gênio se concentrou. Sabemos, além disso, que, como em muitas outras questões, Leonardo saltou tão à frente que mesmo *ele* não pôde apreciar a trajetória que encetou. O historiador médico Charles Singer disse: "Os cadernos de anotações anatômicas dele revelaram-no como o que foi de fato: um dos maiores investigadores biológicos de todos os tempos. Em incontáveis aspectos, estava séculos à frente de seus contemporâneos." E sabemos de mais uma coisa: quanto mais se estudam os manuscritos de Leonardo, mais se começa a vê-lo não tanto como um artista transcendental, mas como basicamente um homem de ciência, cujos talentos e encomendas como pintor e engenheiro lhe possibilitaram sustentar seu fascínio pela natureza.

Não é só a anatomia de Leonardo que me obceca, mas também o seu aspecto inatingível. Lutar para chegar ao topo de uma íngreme colina, em Vinci ou Anchiano, e não encontrar nada mais que um "talvez" parece uma imagem do problema que enfrentam não só os estudiosos profissionais de Leonardo, mas também o resto de nós, que lutamos para compreender o que ele foi. As datas, os fatos, os acontecimentos conhecidos são muito menos do que precisamos se quisermos entender como um ser desses pode ter existido. O enigma do sorriso da *Mona Lisa* não é nada menos que o enigma da vida do seu criador. Ou talvez esse sorriso seja em si a última mensagem de Leonardo à posteridade: Eu tenho mais coisas do que podeis captar; embora vos tenha falado com tanta intimidade, só partilhei meus segredos finais com as profundezas do meu espírito e a inescrutável fonte que me tornou possível; por mais que busqueis, só me comunicarei convosco até aqui; o resto eu guardo, pois foi meu destino conhecer coisas que jamais sabereis.

II

Os Fatos: Os Primeiros Anos, 1452-1482 Do Nascimento até os 30

Um dia, no início da primavera de 1452, um próspero proprietário de terras de 80 anos de idade anotou alguns detalhes de um recente acontecimento notável em sua família: "Nasceu um neto meu, filho de Ser Piero, no sábado, 15 de abril, às três horas da noite. Seu nome foi Lionardo." Seguem-se o nome do padre que batizou o menino e uma lista de dez pessoas presentes à cerimônia. Usando os métodos de cálculo de hoje, a hora do nascimento foi 22h30.

O velho, Antonio da Vinci, fora um bem-sucedido tabelião, como o haviam sido antes seu pai, avô e bisavô, e seu filho Ser Piero depois. Portanto, havia muito se acostumara a registrar as datas importantes da família. A esse hábito inflexível devemos um dos poucos fatos indiscutíveis hoje conhecidos sobre os primeiros 30 anos da vida de um homem a quem muitos têm chamado "o maior gênio que o mundo já viu". O gênio de Leonardo não estava apenas na magnitude de suas percepções e talentos; mas também na extraordinária gama de interesses aos quais ele os aplicou. Abordou tudo com o entusiasmo de um amador e a habilidade de um profissional: pintura, arquitetura, desenho de interiores, engenharia, matemática, astronomia, artilharia, vôo, óptica, geologia, botânica, desvio de rios e drenagem de pântanos, planejamento urbano — e por último, o campo em que esta breve biografia se concentra basicamente: anatomia e o funcionamento das partes do corpo.

Sabemos que Lionardo — ou Leonardo — foi filho do amor, um termo delicado, com implicações de grande paixão, que na verdade foi mais luxúria que romance. A mãe era uma moça da cidade de Vinci ou de uma comunidade vizinha. Quase nada dela se sabe além do nome, Caterina, e seu posterior casamento com um certo Accattabriga di Piero, de Vinci, relacionado como seu marido nas listas de impostos de 1457, quando eles moravam em Anchiano, em terra pertencente à família de Ser Piero. Como já se observou antes, foi em Anchiano que, segundo alguns, Leonardo nasceu, enquanto outros dizem que foi em Vinci, e uma respeitada autoridade chega até a insistir em que sabia o local exato: "uma casa sob o lado sul do rochedo do castelo de Vinci, voltada para o leste". Em meio a todas as inexatidões, quem pode dizer com qualquer segurança que o grande acontecimento não teve lugar na ruína que eu visitei em 1985?

Nada se sabe do relacionamento de Caterina com o filho. É provável que ela o tenha amamentado durante grande parte de seu primeiro ano de vida, como seria o costume da época, mas a única informação de natureza definida é que o nome dele aparece na declaração de impostos de Antonio em 1457, como um menino de cinco anos, morando na casa e especificado como "ilegítimo". Deste único dado, muito se pode deduzir.

Um dos mais destacados estudiosos de Leonardo, Edward McCurdy, escreveu em seu *The Mind of Leonardo*, de 1928, obra de grande autoridade, que seu estudado não apenas nasceu em Anchiano, mas "ali viveu nos anos da infância", sugerindo, como fizeram outros, que o menino ficou com a mãe biológica até pouco antes da anotação no registro de impostos de 1457. Embora isso possa não passar de suposição, é a mesma que Sigmund Freud fez em sua fabulosa (em mais de um sentido da palavra) monografia de 1910 sobre a relação da libido de Leonardo e o suposto homossexualismo de suas realizações. É também a suposição expressa por Kenneth Keele. Outros evitam inteiramente o assunto, ou o contornam cautelosamente, como fez o historiador britânico da ciência Ivor Hart, que, após estudar a vida de seu biografado durante 40 anos, escreveu em 1961 que "Leonardo foi aceito na família [de Ser Piero] alguns anos após ter nascido".

Pouco depois do nascimento do filho ilegítimo, Ser Piero, com 25 anos, casou-se com uma mulher de boa família, Albiera di Giovanni Amadori, com quem não pôde ter filhos. Afirmam várias biografias que, após uns cinco anos de frustrante esterilidade, o casal levou o pequeno Leonardo para viver com eles em Vinci, onde a bondosa Albiera tratou o menino como se fosse seu filho. Assim, durante a maior parte dos seus anos de formação, ele foi o adorado filho único da dedicada Caterina, que talvez lhe dedicasse um amor excessivo. Nesses cinco primeiros anos, se esta hipótese está correta, em essência não teve pai.

Claro, não há como saber se alguma dessas suposições é exata. A criança bem pode ter sido expulsa da casa do pai na época do casamento de Caterina, quando quer que tenha sido. Ou levada para a grande casa em Vinci pouco depois de ser desmamada. A história é tão cheia de "pode ser" que qualquer conjetura parece tão válida quanto qualquer outra. Convinha à teoria de Freud sobre as raízes do homossexualismo que o menino Leonardo passasse os primeiros anos vivendo sozinho com a mãe solteira. Nessa formulação, o menino tornou-se o único objeto de apego erótico que o filho normalmente partilha com o pai, um amor que se tornou mais intenso nesse caso por ter um único foco. Eis como Freud explica sua teoria na monografia *Leonardo da Vinci: Um Estudo de Psicossexualidade:*

> Em todos os nossos homossexuais homens, havia um apego erótico muito intenso a uma pessoa feminina, em geral a mãe, visível logo no primeiro período da infância e depois inteiramente esquecido pelo indivíduo. Esse apego era favorecido por demasiado amor à mãe, mas também alimentado pela retirada ou ausência do pai no período da infância. (...) O amor à mãe não pode continuar a desenvolver-se conscientemente [por ser demasiado ameaçador para a criança], e por isso funde-se com a repressão. O menino reprime o amor pela mãe pondo-se no lugar dela, identificando-se com ela, e tomando sua própria pessoa como modelo, e por essa semelhança é orientado na escolha do objeto de seu amor. Assim, torna-se homossexual; na verdade, retorna ao estágio do auto-erotismo, pois os meninos que o adulto em crescimento ama são apenas pessoas substitutas de sua própria pessoa infantil, a quem ele ama da mesma forma que a mãe o amou. Dizemos que encontra o objeto de seu amor na estrada para o narcisismo, pois a lenda grega chamou de Narciso o rapaz para quem nada era mais agradável que sua própria imagem espelhada, e que se transformou numa bela flor desse nome.

Independentemente de outros fatores, biológicos ou experienciais, que possam entrar na gênese do homossexualismo masculino — e Freud admite que "o processo reconhecido por nós talvez seja um entre muitos", entre os quais está "a cooperação de fatores constitucionais desconhecidos" [hoje geralmente reconhecidos como genéticos] —, foi durante muito tempo um artigo básico da psicanálise o fato de que a mãe demasiado amorosa e o pai não participante podem ser importantes influências operativas na evolução psicológica de pelo menos alguns homossexuais homens. Por mais controvertida que se tenha tornado essa teoria nos últimos anos, ainda é tida como válida entre não poucos membros da comunidade psiquiátrica.

Os biógrafos que tocam no assunto raramente expressam dúvida de que Leonardo era homossexual. Essa foi a conhecida opinião declarada de Kenneth Clark nas Palestras de Ryerson, feitas na Escola de Belas-Artes de Yale, em 1936. Embora parte de seu raciocínio reflita os estereótipos aceitos na época, não há, fora isso, muito a considerar em sua argumentação: "Em minha opinião, o homossexualismo de Leonardo (...) está implícito em grande parte de sua obra, e explica seus tipos andróginos e uma espécie de lassidão da forma que qualquer observador sensível pode ver e interpretar por si mesmo. Também explica fatos de outro modo difíceis de explicar, seu gosto amaneirado no vestir, combinado com o distanciamento e a mania de segredos, e a quase total ausência, em seus volumosos escritos, de qualquer menção a uma mulher." Clark também podia ter falado na predileção, em seu objeto de estudo, por meninos e rapazes bonitos como pupilos e seguidores, um fato muito observado por comentaristas suficientemente próximos da época de Leonardo para ter conhecimento pessoal. Tais indícios são, claro, circunstanciais, mas são muitos, e poucos os que contradizem a interpretação geral.

Não há nenhum indício de que Leonardo alguma vez se haja empenhado em qualquer espécie de franca atividade sexual, quer se busque isso nos manuscritos, quer no testemunho dos que deixaram lembranças dele. É afirmação de Freud que ele foi um dos raros indivíduos cuja "libido se retira do destino da repressão, sendo sublimada desde o início em curiosidade, e reforçando o poderoso impulso da investigação [que deveria de outro modo ser dirigido para a curiosidade sexual]. (...) A investigação torna-se em certa medida compulsiva e substitutiva da atividade sexual. (...) A sujeição aos complexos originais da investigação sexual infantil desaparece, e o impulso pode pôr-se livremente a serviço do interesse intelectual. À repressão que o tornou tão forte contribuindo com a libido sublimada, ele presta homenagem evitando toda ocupação com temas sexuais".

Esta, em poucas frases, é a explicação de Freud para as origens do gênio de Leonardo e a extraordinária gama de suas realizações. Em suma, o impulso sexual reprimido foi sublimado em curiosidade e investigação intelectual. Toda a energia da libido, que deve se concentrar num ou noutro objeto de amor, foi em vez disso concentrada no trabalho. Todos nós, heterossexuais ou homossexuais, sublimamos a libido em maior ou menor medida, mas para o Leonardo de Freud a sublimação foi total. Leonardo pode ter intuído a validez dessa formulação. Numa página do volume de seus textos que os estudiosos reuniram como *Codex Atlanticus*, encontra-se o seguinte: "A paixão intelectual expulsa a sensualidade."

A tese de Freud tem sido ridicularizada e, à medida que ele saiu de moda nas últimas décadas, foi sendo mais rejeitada. E, no entanto, os princípios da repressão sexual e da sublimação da libido continuam a ser tão genericamente aceitos que temos dificuldade em compreender a profunda oposição que sua monografia sobre Leonardo engendrou. É verdade que Freud cometeu um erro enorme ao entender mal uma lembrança de infância que Leonardo registrou: aceitou a leitura errônea de "abutre" por "falcão" feita por um leitor anterior, e foi assim levado a uma falsa trilha de mitologia que apresentou enganado pela fantasia de felação do filho de pai ausente e mãe excessivamente amorosa. A anotação real de Leonardo é: "Parece-me que sempre fui destinado a me interessar muito profundamente por falcões; pois me lembro como uma de minhas primeiras recordações que, quando estava no berço, um falcão desceu sobre mim e abriu minha boca com a cauda, e me bateu muitas vezes entre os lábios com ela." Raciocinando para trás a partir do que provavelmente era mais uma fantasia que uma recordação, e elaborando sobre a imagem do abutre em fontes mitológicas antigas, Freud erroneamente encontrou base para sua invenção de que Leonardo fora criado exatamente como ele teorizava.

Ainda assim, a recordação de Leonardo pode ser entendida como uma fantasia de felação, mesmo que não consubstancie mais muita coisa na argumentação de Freud; e, ainda assim, é provável que Leonardo fosse homossexual; e, ainda assim, não há indício de que jamais tenha sido sexualmente ativo. Resta-nos a formulação de que Leonardo foi um homossexual que reprimiu o impulso sexual sublimando a libido numa vasta realização. Se retirarmos o hoje detestado nome de Freud da equação, chegamos a uma explicação claramente racional para seu gênio. Acrescente-se a sublimação a um intelecto obviamente grande e podemos estar vendo tanto o Leonardo da enfeitada lenda freudiana quanto o da realidade.

Que fazer com a questão dos cinco primeiros anos de Leonardo, ou pelo menos com a relação com Caterina? Se se aceita, como fazem alguns, apesar dos protestos de comentaristas mais "modernos", a tese de que a orientação homossexual de certos *gays* pode relacionar-se com esse tipo de dinâmica descrito por Freud, deve-se considerar que Leonardo pode muito bem ter sido um desses homens. Se foi, dificilmente faz alguma diferença onde a criança viveu durante esse primeiro período. Se em Vinci ou Anchiano, não é exagero supor que teve nesse tempo exatamente o tipo de relação mãe-filho — se não com Caterina, com a estéril e talvez igualmente adoradora Albiera — e não-relação pai-filho que tantos psiquiatras por tantos anos acreditaram ser fundamental na vida psíquica de alguns homossexuais.

Tudo isso dificilmente dá um *Quod erat demonstrandum*. Enquanto houver um *se, talvez* e *pode* em tal argumentação — diluídos ainda mais com palavras tipo *alguns, razoável* e *provável* —, estamos jogando com conjeturas baseadas em informação mínima. O que põe toda a argumentação na mesma arena que grande parte de todo o folclore leonardiano. A começar pelo próprio Vasari, muito do que se tem deduzido e mesmo suposto se baseia em bases históricas muito mais instáveis do que a maioria de nós exigiria para fazer pronunciamentos sobre qualquer outra figura cuja vida estudemos. Em seu famoso ensaio de 1869 sobre Leonardo, o respeitado crítico inglês Walter Pater pode ter explicado o motivo por que sempre foi esse o estado de coisas. "O nome de Leonardo tinha uma espécie de sortilégio", escreveu. "Fascínio é sempre a palavra que o descreve." É esse fascínio, superando o que muitos de nós sentimos por qualquer outra personagem de ontem ou de hoje, que nos faz buscar com intuição, emoção e mesmo senso de encantamento, quando damos saltos de conjetura ao procurarmos entender esse que foi o mais inescrutável dos homens. Ao interpretá-lo, interpretamo-nos a nós mesmos e a nossos próprios mistérios ocultos. Leonardo nos tem sob um feitiço, e eu às vezes penso que ele assim o tenha planejado.

Nesse clima — o clima de tantos estudiosos de Leonardo, incluindo os melhores — talvez possam perdoar-me por haver apresentado uma possibilidade não mais implausível que muitas das teorias encontradas no campo de erudição muitas vezes chamado de vinciana. Eu só peço, como creio que era também a intenção de Freud, que minha proposta sobre a origem do homossexualismo do meu objeto de estudo não seja descartada de saída, mas considerada refletidamente à medida que se desenrola a história seguinte.

A educação de Leonardo até a idade de 15 anos, mais ou menos, provavelmente esteve em grande parte nas mãos de Donna Albiera e da madrasta dela, Monna Lucia, que tinha 59 anos quando ele nasceu. Parece ter havido professores particulares de matemática e latim, mas não há como afirmar quanta educação formal o menino de fato teve. O fato de que jamais dominou as línguas clássicas talvez se deva em parte ao inadequado ensino inicial, mas ele não parece ter feito qualquer esforço continuado para aprendê-las quando ficou mais velho, embora mexesse com latim de vez em quando. Seu conhecimento de algumas autoridades que haviam escrito em grego, latim e árabe aparentemente vinha de uma combinação de leitura em traduções italianas e da discussão das obras deles com vários de seus cultos colegas. Com relação a textos clássicos e posteriores, era, como alguns contemporâneos o chamavam, "um homem iletrado".

Talvez houvesse vantagens nisso. Como observou o eminente historiador da ciência George Sarton: "Assim, Leonardo foi misericordiosamente poupado da carga opressiva daquele aprendizado vazio que se acumulara desde as ruínas da ciência antiga e tornara cada vez mais difícil a verdadeira originalidade."

Em algum momento entre os 15 e os 18 anos do filho, diz-se que Ser Piero, que a essa altura mudara a família para uma casa alugada em Florença, mantendo a propriedade em Vinci, mostrou alguns dos desenhos de Leonardo — e talvez alguns dos objetos esculpidos que o menino gostava de fazer — a um dos principais artistas da cidade, Andrea di Cione, chamado Verrocchio ("Olho Verdadeiro"), então na casa dos 30. O artista demonstrou entusiasmo pelos talentos do menino, e tomou-o como aprendiz. Isso em si era um acontecimento notadamente favorável, por causa da ampla gama de empreendimentos em que se envolvia o ateliê do mestre. Ele próprio mais escultor que pintor, Verrocchio era também um desenhista muito procurado e artesão de objetos de arte para fins religiosos e ornamentais, além de fabricar instrumentos musicais. Com interesses tão variados, dava rédea solta aos pupilos. Eles trabalhavam em encomendas de prata, mármore, bronze e madeira, e elmos, sinos e canhões. Numa tal atmosfera, podia esperar-se que um jovem com os talentos de Leonardo prosperasse.

E prosperou mesmo. Não apenas na qualidade e variedade dos trabalhos artísticos, mas também em determinadas características pessoais, logo se tornou visível que o aprendiz vinciano era um daqueles que, nas palavras de Vasari, "revela-se especialmente dotado pela mão de Deus". Não só Vasari, mas também outros escreveram sobre a bela aparência de Leonardo, o corpo forte e a graça física, a capacidade de cantar acompanhando-se à lira, e certos traços de personalidade que encantavam conhecidos e estranhos igualmente. Entre esses, destacava-se uma notável serenidade que ele manteria pelo resto da vida, combinada com uma natureza simpática e agradável. Contam-se histórias — cuja coerência torna difícil acreditar que sejam apócrifas — de suas peregrinações pelas ruas de Florença, vestindo roupas de cores fortes, visivelmente mais curtas do que era costume, de vez em quando comprando um pássaro engaiolado para libertá-lo, como em simbólica unidade com seu espírito livre e sua reverência pela vida em qualquer forma. Leonardo era um belo rapaz, de impressionantes qualidades pessoais, que amadureceu, durante seus anos em Florença, tornando-se um homem de talentos formidáveis, temperamento gracioso e um sereno ar de autoconfiança. E no entanto, tinha correntes de inquietação e mesmo medo. Num de seus cadernos de apontamentos dessa época, encontra-se uma intrigante recordação de uma de suas muitas explorações solitárias nas colinas perto da cidade.

> Depois de vagar por alguma distância entre as rochas projetadas acima, cheguei à boca de uma imensa caverna, diante da qual me quedei algum tempo estupefato, pois ignorava a sua existência — as costas curvadas em arco, a mão esquerda apoiada no joelho, a direita fazendo uma sombra para as baixadas e contraídas sobrancelhas (...) e após ficar ali algum tempo, de repente despertaram dentro de mim duas emoções — medo e desejo — medo da escura e ameaçadora caverna, desejo de ver se haveria alguma coisa maravilhosa lá dentro.

Muito se pode pensar sobre este breve apontamento de uma aventura que, de forma muito interessante, levou à descoberta de um grande peixe fóssil dentro da caverna, que Leonardo não teria encontrado se o desejo não superasse o medo. Tratava-se, afinal, de um rapaz extasiado pela beleza de tudo que via em torno, e que já nesse período de sua vida desenhava uma série de pessoas estranhas e mesmo grotescas, que gostava de seguir pelas ruas de Florença, aparentemente atraído pela mesma estranheza fisionômica que achava repelente. Pater buscou o significado dessas "legiões de grotescos que lhe caíam nas mãos", e talvez tenha explicado muito mais do que percebeu em seu comentário de que "tomou forma uma interfusão dos extremos de beleza e terror, como uma imagem que poderia ser vista e tocada na mente do gracioso rapaz, tão fixada que pelo resto da vida jamais o deixou". E do mesmo modo: "O que se pode chamar de fascínio da corrupção penetra em cada toque sua beleza delicadamente acabada."

O importante a observar nessa experiência de Leonardo na caverna é que resultou numa descoberta, uma das muitas que com o tempo iriam convencê-lo — séculos antes dos estudos de pessoas como Lyell e Darwin — de que a Terra e suas formas vivas eram muito mais antigas do que ensinava a Igreja, e achavam-se em contínuo estado de mudança. A polaridade medo-desejo é, por certo, partilhada em certo grau por todos nós, mas meditar sobre esse fato leva inevitavelmente à consideração de que, no caso de Leonardo, os pólos eram gigantescos, de tal magnitude que sua interação influenciou o rumo de muitas das mais importantes preocupações dele. A mais notável entre estas, eu sugeriria, foi o estudo da anatomia.

As dissecações que iria fazer nos anos posteriores tiveram lugar em condições pavorosas. Leonardo teve não apenas de forçar-se a lidar com seu horror bastante natural a corpos mortos, como o problema extra de não ter meio algum para preservá-los durante o período de estudo necessariamente breve significou que trabalhava com cadáveres que já haviam começado a apodrecer antes de ele sequer aplicar-lhes o bisturi. Mas, como sempre, a curiosidade superou o medo. Que ele tinha consciência dessas considerações é evidente por um aviso que dava aos aspirantes a dissecadores:

> Mas embora tomados de interesse pelo assunto, talvez sejais detidos pela repugnância natural, ou, se isso não vos detiver, então talvez pelo medo de passar as horas da noite na companhia desses cadáveres, esquartejados, esfolados e horríveis de contemplar.

Considerando o que muitos exegetas dos manuscritos de Leonardo observaram — que os comentários textuais dele têm muito do tom de conversas pessoais consigo mesmo —, talvez essa seja na verdade uma declaração em que ele fala a suas próprias ansiedades. Mas, de uma forma ou de outra, não é de interesse secundário que tenha tratado às claras da questão da repugnância e do medo, numa linguagem tão direta que teríamos dificuldade em encontrar coisa igual nas obras técnicas de outros anatomistas de qualquer época, embora todos tenham sem dúvida sentido tais emoções.

Os mais antigos estudos anatômicos foram feitos no velho hospital de Santa Maria Nuova (fundado, a propósito, em 1255 por Folco Portinari, pai da Beatriz de Dante), e podem ter sido empreendidos por instigação de Verrocchio, que se sabe ter acentuado para os pupilos a importância do estudo da musculatura da superfície. Nessa época, havia muito tinham sido abrandadas as antigas proibições de abrir o corpo humano, e em algumas ocasiões faziam-se "anatomias", como eram chamadas, para fins instrutivos e médico-legais. Iniciadas por Leonardo apenas com a intenção de ajudar a arte, em suas sondagens essas dissecações foram aos poucos tomando um aspecto mais investigativo. Na falta de prova em contrário, pode-se dizer com razoável certeza que ele foi o primeiro artista a dissecar além das camadas superficiais do corpo humano. Na verdade, pode ter sido também a primeira pessoa a tentar descrever os órgãos internos com precisão anatômica. Nenhum manual médico da época ou anterior mostra as vísceras em qualquer forma além da esquemática ou mesmo simbólica. Não muitos anos depois, Leonardo deixou de pensar na pintura quando dissecava; tentava descobrir os segredos da estrutura do corpo, como um meio de entender como ele funciona. Estudava a natureza do homem.

Mas muitas outras coisas nesses anos florentinos fascinavam um jovem artista cuja insaciável curiosidade vivia encontrando novos desafios em que se concentrar. Mais que a maioria dos contemporâneos, Leonardo logo percebeu que um bom pintor devia abranger os princípios da perspectiva, o uso de luz e sombra, e até a maneira como o olho percebe fisiologicamente uma imagem. Leu muito, quase certamente traduções, porque seu latim não estava à altura da tarefa de compreender os textos originais. Estudou geometria, mecânica, o vôo dos pássaros, biologia animal e vegetal, óptica, engenharia militar, hidráulica, arquitetura — passou a ver a arte do que se poderia chamar de ponto de vista científico. E o contrário também era verdade: via a ciência do ponto de vista do artista. Mas nem mesmo ele, um homem séculos à frente de seu tempo, podia perceber o método excitante que havia descoberto.

Da produção artística de Leonardo em seu primeiro período florentino, pouco se sabe ao certo, e não sobrou nenhuma peça completa. Restam vestígios da obra que fez quando aprendiz de Verrocchio, e dos abortados estudos iniciados nos aproximadamente seis anos entre o fim do período de treinamento e a partida para Milão, em 1482. Parece quase não haver dúvida de que se encontra a sua mão em algumas das pinturas feitas no ateliê de Verrocchio, e ele foi contratado algum tempo após o período de aprendizado para fazer uma pintura para um altar dos monges do Convento de São Donato, em Scopeto. O tema era a adoração dos Reis Magos, mas a obra ficou inacabada e encontra-se agora na Galeria dei Uffizi. Abandonada num estágio ainda mais anterior foi a encomenda da Signoria, o órgão legislativo florentino, de uma pintura para um altar na capela da casa. Essa obra parece que nem mesmo foi começada. Como observa McCurdy, embora muito se saiba sobre o avanço do pensamento de Leonardo no seu período em Florença, pouco existe em registros contemporâneos do que ele de fato fez, ou mesmo dos detalhes de seu modo de vida.

Florença era então governada pelos Medici, uma família que sabia muito bem como reter o poder, incluindo a velha prática de estimular os cidadãos a delatar uns aos outros ao menor sinal de possível impropriedade. Assim foi que Leonardo e três companheiros acabaram acusados de sodomia em 1476, num caso envolvendo Jacopo Saltarelli, um rapaz de 17 anos bastante conhecido na cidade como prostituto. Após duas audiências, as acusações foram abandonadas, em junho daquele ano, por insuficiência de provas. Que se deve deduzir disso? E da coincidência de que 1476 foi também o ano em que Ser Piero, após dois casamentos sem filhos, finalmente voltou a ser pai (com o tempo viriam mais dez filhos), com a terceira esposa? Pela primeira vez em seus 24 anos, Leonardo não era filho único. Não teria uma certa imprudência resultado desse deslocamento por um filho legítimo?

A resposta a esta pergunta vai depender em parte de nossa opinião sobre a culpa de Leonardo, da qual praticamente todos os biógrafos duvidam. Esse episódio é o único sinal de atividade sexual de Leonardo, e os que com mais empenho estudaram sua vida presumem que jamais existiu. As acusações podem ter resultado de maldade, mexericos ou de nada, mas não se pode deixar de imaginar o que fez o jovem para pôr-se em risco de tal calúnia, embora inocente. Também não se pode deixar de imaginar por que foi que o aprendizado de Leonardo com Verrocchio acabou em algum momento durante o ano em que ele foi acusado. Os dois continuaram bons amigos, e Leonardo provavelmente morou com o professor por grande parte do período restante em Florença, mas o fez como um artista independente. O mais provável é que essa conjunção de fatos tenha sido mera coincidência — e o que mais? São tipos de perguntas há muito lançadas no ar por aqueles que gostariam de entender um homem enigmático de cinco séculos atrás. Mas poucas das respostas oferecidas até agora têm peso ou substância suficiente para permitir que as peguemos, seguremos na mão e avaliemos.

Mesmo quando jovem, Leonardo era moralista. Não há motivo para duvidar de sua sinceridade quando fez algumas declarações sugerindo que não tinha vida sexual, por repressão inconsciente — como afirma Freud — ou opção consciente. Serão as seguintes palavras as de um homem para quem a tentação da carne não o é em absoluto, ou terão sido escritas por alguém que combatia com tanta força sua sexualidade que devia estar constantemente em guarda para que ela não o esmagasse? Não há como saber.

> Aquele que não contém desejos de luxúria se põe no mesmo nível dos animais. Não se pode ter maior nem menor domínio do que aquele que temos sobre nós mesmos. (...) É mais fácil resistir no começo que no fim.

Como tantas outras coisas na lenda de Leonardo, pode-se interpretar estas frases de forma que se encaixem em várias preconcepções, mas ainda assim são coerentes com a imagem de um homem que, conscientemente ou não, se nega a expressão de uma insistente sexualidade.

Entre essas preconcepções está a de um certo distanciamento do mundo. Pareceu a alguns que as únicas questões de verdadeira importância para Leonardo eram as que ajudavam a sua arte e o estudo da ciência. E em grande parte essa visão é exata. Mas, para atingir seus objetivos, ele precisava do patrocínio e da proteção de poderosos patronos, e jamais hesitou em fazer o que precisava para obtê-los. Repetidas vezes na vida adulta tomou decisões pragmáticas baseadas nas sempre cambiantes relações políticas, numa terra onde gente como os Medici, os Sforza e os Borgia viviam em lutas constantes pelo poder, e a ameaça de incursões de governantes estrangeiros jamais desaparecia. O primeiro exemplo da *Realpolitik* de da Vinci se deu em 1481, quando, artista independente em Florença, Leonardo tinha 29 anos.

No início daquele ano, Leonardo enviou ao governante de Milão, Ludovico Sforza, uma carta que era em essência um pedido de emprego. Todos sabiam que Ludovico tinha dois problemas em mente nesse tempo, e seu correspondente explorou bem os dois. O maior era o perigo iminente de invasão de inimigos por todos os lados. Milão via-se ameaçada em particular por Veneza no leste, mas também pelos exércitos papais no sul e os franceses no norte. O problema menor era o desejo de Ludovico de encontrar o escultor certo para produzir uma estátua eqüestre em homenagem à memória de seu pai, Francesco.

A característica mais óbvia do correspondente era a quase ausência de qualquer referência aos talentos pelos quais Leonardo tinha as mais altas qualificações. Numa missiva de 12 parágrafos, só o último chegava a falar em arte. E, mesmo assim, a referência aparece como uma única frase, que em contraste com as partes anteriores da carta soa quase lacônica, uma reconsideração de uma longa série de vigorosas afirmações de que ele é um engenheiro militar altamente inovador, e em tempo de paz arquiteto e construtor de canais e monumentos. Leonardo diz apenas: "Eu posso executar estátuas em mármore, bronze e barro; na pintura, sou tão bom quanto qualquer outro."

Talvez não houvesse mencionado nem isso sobre seus talentos artísticos, não fosse o fato de que precisava dizê-lo, como introdução à frase seguinte: "Em particular, empreenderei a execução do cavalo de bronze que preservará com glória imortal e eterna honra a auspiciosa memória do Príncipe vosso pai e a mui ilustre casa de Sforza." A discreta declaração sobre sua arte transmite um efeito inteiramente diferente da afirmação gabola (e aparentemente ainda não consubstanciada) de sua superioridade em relação a todos os outros, como fabricante de instrumentos de guerra, da qual é um típico exemplo: "Se o uso de canhões por acaso for impraticável, posso substituí-los por catapultas e outras admiráveis armas de projeção hoje desconhecidas; em suma, onde for o caso, posso imaginar infindáveis meios de ataque." Ao contrário dos planos dos outros, que segundo ele "não diferem materialmente dos em uso geral", os seus são "certos segredos meus".

Leonardo fizera de fato muitos desenhos para apoiar suas bombásticas afirmações de engenhosidade, embora fosse obviamente muito menos experiente no cumprimento delas do que gostaria que Ludovico pensasse. Embora a primeira data definitiva em algum de seus manuscritos seja 1489, é bem provável que muitos desenhos de engenharia militar que continuaram a espantar observadores modernos tenham sido feitos antes da carta a Ludovico. Estavam muito à frente de qualquer coisa existente na época, não apenas em desenho, mas até mesmo em conceito. Era óbvio que ele estudara exaustivamente a construção de cada um de seus instrumentos de guerra. Não apenas isso, mas também deve ter estudado tão bem as condições de combate que tinha um conhecimento detalhado do que se precisava. Talvez não seja excesso de interpretação concordar com os que dizem que nesses primeiros desenhos e planos se encontram os precursores do gás venenoso, cortinas de fumaça e guerra de tanques. Se alguma das máquinas propostas teria realizado a intenção do inventor, jamais saberemos, uma vez que nenhuma parece ter sido construída ou mesmo tentada. Mas alcançaram o objetivo da carta. Leonardo foi contratado, e em 1482 mudou-se para Milão, onde iria ficar por quase 17 anos, até que o declínio da sorte de Ludovico o mandou de volta à procura de patrocínio seguro.

Na verdade, outro fator talvez tenha pesado muito na decisão de Ludovico de levar Leonardo para Milão. O *Anonimo Gaddiano*, uma coletânea contemporânea de biografias fragmentárias de artistas florentinos da época, declara que durante seus últimos anos naquela cidade Leonardo viveu algum tempo com Lorenzo o Magnífico, o que se pode supor ter sido em algum momento após 1476, quando seu aprendizado com Verrocchio parece ter chegado ao fim. O príncipe ficou tão encantado com os talentos do jovem artista que lhe deu espaço no jardim da praça de

San Marco, aparentemente para trabalhar em algumas obras de estatuária antiga. Segundo o *Anonimo*, a recomendação pessoal de Lorenzo foi o fator crucial no chamado de Ludovico, sendo o catalisador específico o desejo do Medici de presentear uma lira de prata a seu aliado. Essa intercessão principesca pode ser aquilo a que Leonardo se referiu num enigmático comentário escrito perto do fim da vida: "Os Medici me criaram e me destruíram." Se quer dizer o que parece, a mudança para Milão em 1482 foi a fase da criação, e sua temporada posterior em Roma seria a destruição.

III

Os Fatos: Milão, 1482-1500
Idade: 30-48

Não foi, porém, pelas descrições de suas máquinas e métodos de guerra que Leonardo acabou sendo chamado a Milão, mas antes para fins mais pacíficos. Ao chegar lá, descobriu que seu patrono mudara de tática política, substituindo a diplomacia pelos gestos guerreiros. Haveria muito menos necessidade de armas e defesas, pelo menos por enquanto. Nos apontamentos de Leonardo, ele registrou que sua convocação foi especificamente para que criasse a estátua de Francesco Sforza. A declaração é consistente com os objetivos e a reputação de Ludovico.

Para compreender Ludovico Maria Sforza, é necessário retornar uma geração atrás, até seu pai. Francesco, filho de camponeses, era um homem que ascendera a general milanês. Com uma combinação de astúcia política, poder militar, casamento pragmático com a filha do governante anterior, Filippo Visconti, e a ajuda de Cosimo de' Medici, de Florença, tornou-se duque de Milão em 1450, havendo em essência usurpado o trono do príncipe herdeiro Visconti. Quando morreu, em 1466, seu primogênito, um sádico tirano chamado Galeazzo, tornou-se duque, mas foi assassinado dez anos depois, deixando seu filho de sete anos, Gian, como herdeiro do título. Ludovico convencera o irmão mais velho de que, se Gian morresse sem herdeiro, ele próprio herdaria o trono. Embora a mãe do menino se tornasse regente, Ludovico, com astúcia típica, declarou o doentio e não muito brilhante Gian capaz para ascender ao ducado quando fizesse 12 anos, com isso abolindo a regência e assumindo o governo de Milão em nome do inepto sobrinho. A única surpresa no desfecho dessa história é que Gian continuou vivo por alguns anos. Sua morte súbita e inexplicada só se deu em 1494, quando Il Moro — o Mouro, como era comumente chamado o moreno Ludovico — ascendeu ao ducado, uma posição que já mantinha *de facto* desde 1482.

Naqueles tempos turbulentos em que linhagens nobres duravam apenas algumas gerações, as famílias buscavam consagrar-se tão logo após ascender ao poder quanto possível. Muitos dos grandes progressos culturais que ocorriam nessa época se deram por instigação, e com a ajuda das bolsas abertas, da realeza e da nobreza, e os grandes empresários mercantis faziam o mesmo. Para as famosas famílias italianas, o caminho óbvio da eterna glória era utilizar os dons dos abundantes artistas e pensadores talentosos que, figurativamente, enxameavam sua terra. Apesar de déspotas políticos, os Sforza em Milão, os Medici em Florença e os Borgia em Roma ainda assim alimentaram uma atmosfera em que a literatura, as belas-artes e a filosofia tiveram rédea solta e floresceram, para o bem de incontáveis gerações seguintes. Francesco iniciara o processo para os Sforza construindo um hospital e chamando para a corte todo tipo de intelectuais. Mas em patronato das artes, seu filho Il Moro o superou de longe. Embora suas realizações de fato fossem em menor número que as de Francesco, Il Moro tinha em grande parte as mesmas intenções para

Milão que os Medici seus contemporâneos para Florença e uma série de Borgia para Roma.

Ludovico cercou-se de artistas e homens de letras. Como escreveu Bernardo Bellincioni, o poeta da corte: "De artistas sua corte está cheia (...) para aqui, como a abelha para o mel, vem todo homem de saber." Embora o motivo imediato para a convocação de Leonardo fosse o desenho e a criação da estátua, Ludovico tinha bem mais em mente para ele, pois sua reputação em muito precedera a sua carta. Sabe-se por fontes contemporâneas que Leonardo já conquistara por essa época amplo reconhecimento como artista, apesar de muito pouco de sua obra ter sido de fato concluído. Ganhara muitos louvores por seus *Anunciação*, *São Jerônimo* e *Adoração dos Magos*, os dois últimos inacabados. Já se tornava conhecido como um homem que, nas palavras de Vasari, "começava muitas coisas que jamais concluía", mas apesar disso era reconhecido como um indivíduo de talento tão singular que só sua presença realçava a grandeza de qualquer corte que freqüentasse, e atraía outros homens de mérito.

Assim, ao levar Leonardo para Milão, Ludovico enriqueceu sua corte com a presença de jovens artistas de largo reconhecimento, incluindo a do principesco patrono de homens de talento, Lorenzo. Embora a primeira obrigação de Leonardo fosse a estátua, estava claro que seus talentos seriam empregados em todo tipo de trabalho, entre os quais a engenharia militar parece ter recuado para o fundo.

Não apenas o *Anonimo*, mas também Vasari enfatizou o papel da lira (embora use o termo *alaúde*) na mudança de Leonardo para a corte de Il Moro, e assim fazendo apoiou o que outros escreveram sobre mais um dos talentos vincianos:

Quando Ludovico Sforza se tornou duque de Milão, em 1494, convidou muito cerimoniosamente Leonardo a ir tocar alaúde para ele. Leonardo pegou um instrumento que ele próprio fizera de prata, em forma de cabeça de cavalo, planejada para tornar o tom mais alto e sonoro. Leonardo era um dos melhores *improvisatori* em verso de sua época. Superou todos os demais músicos que haviam sido reunidos para se apresentar e encantou de tal modo o duque com seus variados talentos que o nobre se divertiu além da conta em sua companhia.

(Não devemos deixar de notar que Vasari data errado a chegada de seu biografado a Milão mais ou menos no ano em que Il Moro se tornou formalmente duque, o tipo de inconsistência que tem perseguido os estudos sobre Leonardo por todos os séculos. Como só existe um esboço de informação biográfica vinciana — e grande parte desta de confiabilidade duvidosa —, os critérios para aceitá-la são às vezes incertos. Ao examinar as obras do virtual cortejo daqueles que escreveram os anais de da Vinci, pode-se apenas buscar discernir padrões coerentes, e extrair as pepitas que possam conduzir à verdade.)

Parece provável que o principal motivo de o duque desejar ter o artista em Milão foi, de longe, fazer de fato a estátua. Leonardo há muito se interessava pela anatomia do cavalo, e parece ter andado fazendo dissecações do animal anos antes da partida de Florença. Embora muitos de seus desenhos eqüinos ainda existam, ele jamais conseguiu concluir a estátua de Sforza. Esta, ou uma aproximação dela, teve de esperar uns 500 anos, quando os esforços de entusiastas americanos de da Vinci resultaram, em 1999, na fundição em bronze de um cavalo de algum modo parecido ao que seu desenhista pode ter visualizado.*

A história do cavalo fracassado (quer dizer, o do século XV) é também a história que simboliza a personalidade e o clima político turbulento da época. Como em tantas outras questões, o método de construção da estátua usado por Leonardo era trabalhar em explosões de entusiasmo. Houve tantos atrasos que Pietro Alemanni, embaixador de Florença em Milão, escreveu em desespero a Lorenzo em julho de 1489, pedindo que um ou dois "mestres acostumados a esse trabalho" fossem mandados, porque quase não confiava que Leonardo concluísse a encomenda. Não se pode afirmar se esses homens iriam tomar o lugar de Leonardo ou apenas fundir o bronze segundo suas especificações, mas não demorou muito para que o mestre iniciasse outro surto de atividade no projeto. Talvez o desejo de Ludovico fosse apenas estimular seu indeciso artista exatamente a uma ação dessas. Uma frase na capa de um caderno de anotações dedicada em grande parte à óptica de Leonardo diz: "A 23 de abril de 1490, iniciei este livro

---

* Acabou sendo mais uma interpretação da intenção de Leonardo — sem um Sforza montado — do que uma consumação, uma vez que não existe mais nenhum modelo ou desenho do produto desejado acabado. Eu posso não ter tido êxito na peregrinação ao lugar de nascimento de meu herói, mas vi esse cavalo, exibido na fundição em Beacon, Nova York, onde fora fundido em 60 peças distintas, em contraste com o plano de Leonardo de despejá-lo todo de uma vez, num "um único jorro". Minha visita ocorreu poucos dias antes de sua emigração para o lar em Milão que o esperava com a ambivalência reservada às mal aplicadas boas intenções ianques. O garanhão sem cavaleiro hoje reside longe do centro da cidade, numa grande praça que faz parte do Hipódromo, a pista de corridas de Milão. Solitário e desapreciado, os turistas não o visitam e os locais o ignoram. Para os milaneses, é apenas mais um dos embustes leonardianos, mais ou menos como La Casa Natale.

e dei nova partida com o cavalo." Mas deve ter havido ainda outros atrasos, porque o grande momento só veio em novembro de 1493. Nas pródigas festividades que assinalaram a partida da irmã de Gian, Bianca Maria Sforza, para casar-se com o Imperador Maximiliano, dos Habsburgo, nesse mesmo ano, o modelo de barro, de oito metros, foi exibido no pátio do castelo dos Sforza, para imenso prazer do grande número de pessoas que foi vê-lo.

Os longos atrasos foram perdoados. Um dos poetas da corte, Baldassare Taccone, escreveu versos entusiásticos para celebrar o imenso cavalo de barro e seu criador: "Vede só que belo cavalo! Leonardo o fez sozinho. Escultor, grande pintor, ótimo matemático, tão grande talento é raro conceder o Céu."

Mas o projeto não foi mais adiante. Em novembro de 1494, o bronze que deveria ser usado para a fundição da estátua, cerca de dez toneladas, foi enviado em vez disso por Ludovico para Ferrara, para ser transformado em canhões. Leonardo continuou a trabalhar em seus planos, mas sabia que o projeto estava condenado. A certa altura, escreveu ao duque: "Do cavalo, nada falo, porque sei que são tempos ruins." Essa carta só existe hoje em fragmentos; em outros trechos Leonardo escreve sobre sua difícil situação financeira, por não receber o salário e ter de pagar e manter os auxiliares. A conta bancária de Ludovico parece que não estava em muito melhor condição que a do súdito, pois em 1499, quando sua situação política era pior, ele deu a Leonardo um grande vinhedo nos arredores de Milão, pretendendo desta forma acertar as contas. Mas mesmo isso só foi concedido depois que o frustrado credor lhe mandou uma petição. Em 1500, quando a cidade foi ocupada por tropas francesas de Luís XII, arqueiros gascões usaram o cavalo de barro para prática de tiro ao alvo e destruíram grande parte dele, que acabou simplesmente se decompondo.

Os seis ou sete anos de Leonardo como artista independente em Florença não o haviam transformado em um homem de posses. Longe disso. Não apenas eram os pagamentos um tanto miseráveis, mas sua prática de deixar as encomendas incompletas não era um hábito amigo do bolso. É justo dizer que ele chegara a Milão inteiramente duro. Embora Ludovico prometesse salários generosos, nem sempre cumpria a palavra. Às vezes passavam-se semanas e meses sem que o dinheiro chegasse, e Leonardo se queixava. A partir dos últimos anos em Florença, além disso, o artista tornara-se chefe de uma casa em que alunos, seguidores e vários amigos moravam juntos, e as despesas da vida diária muitas vezes superavam os seus recursos. Acrescente-se a isso sua notória tendência a gastar além do que ganhava — com cavalos, carruagens, criados e toda a panóplia do luxo — e o resultado é um homem freqüentemente endividado, ou pelo menos lutando para manter-se. Mesmo assim, de algum modo conseguia guardar um florim aqui e ali, como veremos. Ou talvez sua penúria não fosse tanta quanto ele dizia. Talvez achasse que o único meio de arrancar algum dinheiro de um soberano relutante fosse chorar miséria, o que sem dúvida era verdade, mesmo que o estratagema nem sempre desse certo. Na carta ao duque anteriormente citada, queixando-se de não haver recebido qualquer pagamento em dois anos, escreveu que estava tendo de aceitar encomendas de fora para pagar as despesas da casa.

Além do salário pelo qual muitas vezes tinha de esperar, mesmo quando acabava sendo pago Leonardo tinha liberdade de aceitar encomendas de outras pessoas além do duque. Eram em geral retratos e estudos, e seriam uma bela fonte de renda se o artista fosse mais assíduo no cumprimento de suas obrigações. Mas não era. Mesmo com fama de imprevisível, porém, sua fama maior como artista assegurava que famílias ricas e outros o procurassem, na esperança de que ele concluísse as obras que prometera ou iniciara. Vivia constantemente atarefado; o período em Milão foi de intensa atividade.

Desde o princípio, Ludovico pedia obras das quais Leonardo não podia deixar de ressentir-se, por desviá-lo do seu sempre crescente fascínio pelos estudos científicos. Em Florença, envolvera-se muito com os freqüentes desfiles e festas da próspera cidade renascentista. Seu atletismo, sua forma graciosa e seu físico poderoso haviam-no qualificado como um participante muitíssimo talentoso e entusiástico dos vários jogos que faziam parte das festividades. Verrocchio muitas vezes era escolhido para ser o mestre-de-cerimônias de Lorenzo, no que o auxiliava alegremente o aprendiz Leonardo. Juntos, desenhavam guarda-roupas e construíam as estruturas carregadas nos pitorescos desfiles, que serpeavam pelas ruas em comemoração a tudo que era evento eclesiástico e secular.

Como Florença, Milão também era uma cidade excitante e próspera, muito dada a desfiles e torneios. Enriquecida por sua indústria de lã e a fabricação de armamentos, achava-se naquela época na iminência de criar um comércio lucrativo com a fiação e tecelagem de seda. Mais de uma centena de oficinas ocupava-se com a fabricação de armaduras e armas de mão como espadas, lanças, chuços e alabardas, a tal ponto que todo o centro da cidade tinha uma aparência militar. Sua comunidade de 300 mil pessoas era protegida por 15 torres maciçamente fortificadas, espalhadas ao longo da formidável muralha da cidade, à qual se tinha acesso por sete enormes portões. Cercado por fossos e altos muros, o castelo do duque erguia-se como uma ameaçadora sentinela logo depois de um desses portões, aparentemente inexpugnável.

Ludovico chamava muitas vezes seu artista residente para ser uma espécie de empresário dos desfiles, o que não chega a surpreender. Leonardo parece ter sido não apenas desenhista e pintor, mas às vezes também mestre-de-cerimônias. Dos 30 anos em diante, com grandes obras em mente, deve ter achado o trabalho cada vez mais irritante, apesar de antes gostar dele, mas não tinha opção. Empregava toda a sua energia nessas funções, e também sua vigorosa imaginação. Uma descrição de uma das extravagâncias que criou, a Festa do Paraíso, ilustra a grandiosidade de suas idéias. A festa era uma das ordenadas por Ludovico para alimentar a fantasia de Gian e sua esposa, Isabella de Aragão, de que eram os verdadeiros governantes de Milão. O poeta da corte Bernardo Bellincioni escreveu:

> E chama-se Paraíso porque foi feita pelo grande engenho e arte do florentino Mestre Leonardo da Vinci, com todos os sete planetas em órbita; e os planetas eram representados por homens que pareciam e se vestiam como poetas, e cada um desses planetas falava em louvor à Duquesa Isabella.

Mesmo nesses primeiros anos em Milão, Leonardo, sempre que pôde, dedicou seu tempo a estudos de matemática, mecânica e óptica. Decidido a melhorar seu vocabulário e domínio da linguagem, avançou laboriosamente por listas de milhares de palavras e sinônimos italianos. Não desperdiçava nenhum momento. Era como se vivesse cada dia segundo seu próprio ditado: "Como o ferro enferruja quando não é usado, e a água se suja quando estagnada, ou vira gelo quando exposta ao frio, também assim degenera o intelecto que não se exercita."

Leonardo entregava-se ao seu fascínio pelo vôo dos pássaros, e imaginava a possibilidade do vôo do homem. Fez mais do que imaginar, criando desenhos de modelos de máquinas voadoras e calculando as forças mecânicas que teriam de ser levadas em conta. Numa lista que fez dos livros que possuía pouco antes de deixar Milão, em 1499, encontra-se uma ampla variedade de textos de literatura, história, ciência e filosofia, com apenas dois remotamente relacionados a saúde. Não há livros de anatomia.

De vez em quando, Leonardo podia dissecar um corpo (talvez no Ospedale del Brolo, unidade do Ospedale Maggiore, que tinha permissão para fazer dissecação), e parece, pelos seus cadernos de anotações, que levava consigo espécimes para examinar e desenhar mais à vontade. Suas pesquisas anatômicas haviam começado em Florença, mas em Milão é que foram muito além do necessário para a pintura, tornando-se mais precisas e mesmo um tanto sistemáticas. Ele se voltava muito mais para os estudos científicos do corpo. Nas palavras de Sigmund Freud: "O artista antes tomara a seu serviço o investigador para ajudá-lo; agora o investigador era mais forte e suprimira o amo."

Mesmo nisso há desacordo. Em seu conceituadíssimo texto de 1952, *Leonardo da Vinci on the Human Body*, Charles O'Malley e J. B. de C. M. Saunders expressam dúvida de que ele tivesse acesso ao Ospedale Maggiore, interpretando alguns erros nesses primeiros desenhos — corrigidos nas ilustrações de anos posteriores — como indícios de que seu conhecimento de anatomia nessa época derivava mais de observação, dissecação de animais e leitura que da dissecação de seres humanos. O'Malley e Saunders não observam, porém, que no fim do período milanês Leonardo já introduzira a inovação da representação de cortes seccionais dos membros, e a outra contribuição de desenhar estruturas de ângulos diferentes, "como se o espectador pudesse andar inteiramente em torno do objeto e observá-lo de todos os aspectos", um recurso extremamente valioso para os anatomistas e sobretudo os cirurgiões. Ele assim descrevia seu método:

> O verdadeiro conhecimento da forma de qualquer corpo será por meio de visões de diferentes aspectos dele. E para dar conhecimento da verdadeira forma de qualquer membro do homem (...) eu observarei esta regra, fazendo de cada membro quatro representações, de quatro lados. E no caso dos ossos farei cinco, cortando-os no meio e mostrando a cavidade de cada um deles.

Leonardo continuaria a usar essa técnica por ele criada em todos os seus estudos posteriores. Quer O'Malley e Saunders estejam ou não corretos, o certo é que em 1489, sete anos depois da chegada do artista a Milão, os estudos iam indo tão bem que ele pôde escrever sobre sua intenção de publicar um tratado de anatomia. Enchia seus cadernos de anotações não apenas com suas descobertas eruditas, mas também com suas filosofias de vida.

Leonardo estava intrigado com o movimento e as forças nele envolvidas. O contínuo fluir de energias na natureza e na vida do homem são um tema constante e mesmo central que percorre todos os seus manuscritos, como os fluxos d'água a que tantas vezes aludiu. A água em movimento, na verdade, é o seu símbolo para essas energias que fluem; vital para sua concepção do universo. Para ele, o estudo da estrutura era apenas o início do estudo da função e das forças mecânicas que a tornavam possível. Desenvolveu mais uma idéia que havia muito mantinha, a da captura pictórica de um único instante em que se elucida todo um acontecimento ou pessoa. Tanto na arte quanto na ciência, afirmava, deve-se capturar esse instante e examiná-lo, porque traz em si o passado e o futuro, do mesmo modo que é uma coisa do presente. Nesse aspecto, Kenneth Clark refere-se à "rapidez sobre-humana do olho" de Leonardo, que possibilitava o registro impecável de uma impressão instantânea no cérebro. O historiador da arte Sydney Freedberg disse da *Mona Lisa* que é "uma imagem em que o respirar e a posição de um instante são mantidos em suspensão para sempre".

Muito interessado no movimento da água como representação e às vezes metáfora das forças vitais, harmonia rítmica e unidade da natureza, Leonardo escreveu: "Nos rios, a água que tocamos é a última do que passou e a primeira do que virá. O mesmo acontece com o tempo presente." Não se encontra em nenhum de seus manuscritos melhor afirmação metafórica ou real da subjacente tese leonardiana da elucidação dos fatos naturais e da vida do homem, como se pode ver dentro de um instante do tempo. Quando se acrescenta a isso sua opinião de que o pintor tem dois objetos a pintar, o homem e a intenção de sua alma, temos que toda uma teoria de arte foi resumida em algumas frases.

Na pintura, aconselhava, essa filosofia toma a forma da escrupulosa atenção prestada ao movimento dos músculos faciais, mais particularmente em torno da boca. Mas todas as partes do corpo devem ser minuciosamente observadas, incluindo o tronco e os membros, pois da atitude e postura dessas estruturas muito se pode dizer. As ações externas revelam o pensamento interior; é na mente que se originam os movimentos. Toda pintura de uma pessoa é portanto um estudo psicológico. Esses ensinamentos seriam depois exemplificados na *Mona Lisa*, mas durante o período de Milão seu apogeu foi atingido na pintura de *A Última Ceia*, encomendada por Ludovico e os frades dominicanos para a parede do refeitório da Igreja de Santa Maria della Grazie.

O instante da pintura é um dos mais importantes nas escrituras cristãs. Por mais baixo que tenham sido pronunciadas, as proféticas palavras "Pois em verdade, em verdade vos digo que um de vós me trairá" acabam de explodir sobre os apóstolos como um súbito trovão. A dramática intensidade do momento diz muito mais que muitos metros de filme de cinema jamais poderiam. Cada um dos homens à mesa revela-se num retrato psicológico instantâneo que parece trair seus pensamentos e até os pensamentos que virão depois. Embora partilhem a reação de surpresa, cada um reage à sua surpresa de uma maneira inteiramente própria. Como escreveu Leonardo: "É mais digna de louvor a figura que, por suas ações, expressa as paixões da alma." Conhecemos cada um desses indivíduos, embora jamais tenhamos visto um deles antes. Por mais vasta e repetida que seja a leitura das escrituras que precederam a visão desse grande quadro, cada apóstolo viverá daí por diante nos sentidos do espectador de uma maneira antes inimaginada. Admira então que Kenneth Clark chame *A Última Ceia* de "pedra fundamental da arte européia"?

O quadro foi iniciado provavelmente em 1495, e concluído no fim de 1498, na época em que Leonardo continuava a trabalhar no cavalo e em todos os outros projetos que consumiam tantas de suas horas. Quando se pensa em seus métodos, parece surgir aos poucos a imagem de um homem que tinha como um dos maiores atributos a capacidade de concentrar toda a sua energia no serviço imediatamente à sua frente, não importa se iria depois abandoná-lo. É o que transparece em um breve trecho escrito pelo escritor Matteo Bandello, do século XV:

> Muitas vezes vi Leonardo sair de manhã cedo para trabalhar no andaime diante da *Última Ceia*; e ali ficava do amanhecer ao anoitecer, jamais largando o pincel, mas continuando a pintar sem comer nem beber. Depois, passavam-se três ou quatro dias sem que ele tocasse na obra, mas cada dia passava várias horas examinando-a e criticando as figuras para si mesmo. Também o vi, quando lhe dava na veneta, deixar a Corte Vecchia durante o trabalho no estupendo cavalo de barro, e ir direto para a Grazie. Ali, subindo no andaime, pegava um pincel e dava algumas pinceladas numa das figuras: depois partia de repente e ia para outro lugar.

Esses métodos de trabalho irregulares, embora característicos de Leonardo, se revelariam a condenação da grande pintura. Ao criar-se um afresco, a parte da superfície que é pintada tem de ser concluída no mesmo dia em que é preparada, uma vez que a técnica emprega tinta à base de água sobre gesso molhado. Para contornar essa necessidade, Leonardo usava gesso seco e uma tinta de óleo e verniz que se revelou incapaz de resistir à umidade e ao rigor dos anos. Na segunda década do século XVI, os danos já haviam começado a aparecer, e agravaram-se quando Vasari viu a pintura em 1556. No correr dos séculos, fizeram-se nove tentativas fracassadas de restauração, que só conseguiram estragar mais a obra-prima do mestre. Quando eu a vi no refeitório, em 1995, foi só sabendo o que procurar que consegui discernir a magnificência do que Leonardo fizera. Desde então, uma equipe de restauradores altamente qualificados concluiu um projeto de 24 anos, trazendo de volta muito de uma essência que se julgara irrecuperavelmente perdida.

Aonde ia Leonardo, quando "partia e ia para outro lugar"? Temos a palavra de um frade chamado Sabba di Castiglione, que viu a construção e finalmente a destruição do cavalo, de que "quando devia cuidar de pintar, no que sem dúvida ter-se-ia revelado um novo Appelles [pintor grego do século IV a.C., considerado o maior da Antiguidade], entregava-se inteiramente à geometria, arquitetura e anatomia". Claro, havia também as várias encomendas, a mais importante das quais era dividida com o pintor Ambrogio de Predis, para criar um altar para a Irmandade da Imaculada Conceição. Leonardo pintaria o painel central e Predis, as alas do altar. Quanto ao magnífico *Virgem dos Rochedos*, existem hoje duas versões de Leonardo, uma — provavelmente a primeira — no Louvre, e a outra na

National Gallery, em Londres. Essa obra foi feita entre 1483 e 1490, em meio a constantes brigas entre os artistas e a irmandade por salários e outras obrigações contratuais. Essas desagradáveis disputas, por mais freqüentes que fossem na carreira da maioria dos artistas do Renascimento, eram mais comuns para Leonardo, por causa de sua fama de abandonar projetos com os quais os patrocinadores se haviam comprometido, ou pelo menos atrasá-los por longos períodos. A *Virgem dos Rochedos* foi um desses casos. Devia ter sido exposta na Festa da Imaculada Conceição, a 8 de dezembro de 1483, mas só foi concluída em 1486. Daí a prolongada discussão sobre pagamento.

Após um surto de peste devastador, em 1484-85, que dizem ter tirado a vida de 50 mil pessoas, Leonardo assumiu o papel de planejador urbano, dedicando considerável tempo a um projeto para a reconstrução de Milão com base em seus estudos do que era então conhecido como medidas sanitárias e de saúde pública. E superou em muito o conhecimento da época. Seus planos exigiam um duplo sistema de amplas estradas, o nível superior para pedestres e o inferior para veículos, cada nível flanqueado por arcadas e ligado a outro por escadas. Um sistema de ruas e canais foi de tal modo planejado que as mercadorias podiam ser distribuídas por barcos às lojas e outros prédios no nível inferior de arcadas.

A nova cidade seria construída perto do mar ou de um grande rio, como o Ticino próximo, um curso d'água que se sabia não ser enlameado pelas chuvas. Além de proporcionar uma fonte confiável de água não poluída, o rio também serviria como fonte para alimentar sistemas de irrigação projetados por Leonardo para as planícies. A população seria também dividida em dez distritos ao longo do rio, de 30 mil pessoas cada, para, escreveu Leonardo em suas anotações, "distribuir as massas de humanidade, que vivem amontoadas como rebanhos de cabras, enchendo o ar de mau cheiro e espalhando as sementes da peste e da morte". Para ele, como para planejadores urbanos de séculos posteriores, uma cidade devia ser um reflexo dos valores de sua gente, uma entidade social em si. Uma cidade cujo crescimento não planejado nem dirigido levou a condições não mais simbólicas dos objetivos superiores de seus chefes e da cidadania é uma cidade que deve ser arrasada e reconstruída até que sua forma estrutural seja a expressão física de suas mais elevadas aspirações.

Por mais digno de louvor que fosse o projeto, Ludovico jamais implementou qualquer parte dele. Se o houvesse feito, poderia ter servido de modelo para a reconstrução de outras cidades européias, muitas das quais tão congestionadas e sujas quanto certas partes de Milão. O custo teria sido enorme, e aqueles tempos tempestuosos dificilmente eram propícios a tal empreendimento, mesmo que Ludovico se importasse o suficiente com as classes baixas de seus súditos para pensar numa empresa que teria como um dos mais importantes benefícios transformar o estilo de vida deles. Leonardo visualizara uma cidade baseada em princípios de saúde pública que não seriam apreciados durante séculos.

Durante todo o período milanês, Leonardo empenhou-se em projetos arquitetônicos. O mais importante era a conclusão da grande catedral da cidade, no qual trabalhou entre 1487 e 1490. Mandou construir uma maquete em madeira para o desenho do Duomo, mas depois perdeu o interesse pelo projeto, e nada mais foi registrado de sua participação nele. Em relação a esse empreendimento, porém, fez uma série de visitas à biblioteca ducal em Pávia e à universidade da cidade. Também fez estudos anatômicos na escola de medicina, tanto de cadáveres humanos quanto de animais. (Mais uma vez, O'Malley e Saunders estão corretos, as dissecações eram mais observadas que feitas por ele.) Seus cadernos de anotações dessa época contêm descrições e desenhos do cérebro e de nervos craniais humanos, além de registros de experiências que ele fez com a medula de rãs.

A cátedra de matemática da Universidade de Pávia era ocupada na época por Fazio Cardan, pai de Jerome Cardan, que iria tornar-se um famoso matemático e médico, cujas obras mesmo hoje são de grande interesse histórico. Fazio editara a *Perspectiva communis*, de John Peckham, um grande tratado de óptica que Leonardo teve a oportunidade, em muitas ocasiões, de estudar e discutir com ele. Foi por meio dessas leituras e das longas conversas com Cardan que Leonardo expandiu seu pensamento sobre perspectiva, matemática e a função do olho. Este era de particular interesse para ele, não apenas como objeto de estudo em si, mas por ser o meio pelo qual os fenômenos visíveis são levados à mente. "O olho", escreveu, "que é chamado de janela da mente, é o principal meio pelo qual o sentido central pode mais completa e abundantemente apreciar as infinitas obras da natureza." Não deve passar despercebido que não se referia, como praticamente todos os outros homens de seu tempo o teriam feito, às "infinitas obras de Deus", mas às da natureza. O que era de Deus, ele deixava para o clero; o que era da natureza, tinha como seu domínio. Era uma declaração de princípios digna de um pesquisador do século XXI.

Leonardo considerava a matemática a chave última para a compreensão da natureza que ele escrutinava com tanto cuidado — chave não apenas para a mecânica e o movimento, mas para toda ciência, incluindo a biologia humana. Como advertia a qualquer um que queria estudar fenômenos naturais: "Oh, estudantes, estudai matemática e não construí sem alicerces." Mais de um século se passaria para que houvesse um reconhecimento geral da verdade que escreveu sobre suas convicções: "Nenhuma investigação humana pode ser qualificada de verdadeiro saber se não passa pela demonstração matemática."

O filho ilegítimo de Fazio, Jerome, o grande matemático que se tornou professor de medicina em Pávia em 1547, era um homem interessado, como fora Leonardo, na aplicação de princípios matemáticos a fenômenos naturais. Num capítulo dedicado à arte em seu *opus magnum* de 1551, *De subilitate rerum*, ecoou a certeza de Leonardo de que a pintura é a mais elevada e exigente forma de arte. A não ser pela frase final, o seguinte trecho poderia ter sido escrito pelo finado amigo de seu pai. É na última frase, na verdade, que Cardan observa que Leonardo foi o primeiro dos artistas a reconhecer todas as qualidades exigidas para ser um grande pintor, e a combiná-las em si mesmo.

> A pintura é a mais sutil de todas as artes mecânicas, e a mais nobre. Cria coisas mais admiráveis que a poesia ou a escultura; o pintor acrescenta sombras e cores e junta a elas uma disciplina especulativa. É necessário que o pintor tenha conhecimento de tudo, porque tudo é de seu interes-

> se. Ele é filósofo científico, arquiteto e hábil dissecador. A excelência de sua representação de todas as partes do corpo humano depende disso. Isto foi iniciado há algum tempo pelo florentino Leonardo da Vinci, e por ele aperfeiçoado na prática.

Por mais importante que tenha sido a amizade de Fazio Cardan para o desenvolvimento intelectual de Leonardo, Luca Pacioli, o mais eminente matemático da época, teria uma influência ainda maior, e durante um período maior de tempo. Pacioli, membro da Ordem Franciscana, era tido em alta estima como professor em várias universidades italianas. Seu altamente conceituado *Summa de aritmetica, geometria, proportioni et proportionalita* já era bastante conhecido por Leonardo quando Ludovico convidou o matemático a Milão em 1496, dois anos após sua publicação. Os dois se tornaram amigos íntimos logo após a chegada de Pacioli, e em breve estavam morando juntos no *ménage* de Leonardo. Eram muito úteis um ao outro nos cálculos e pesquisas que envolviam seus respectivos tipos de trabalho, e Pacioli tornou-se uma espécie de tutor de matemática avançada para o amigo, ensinando-lhe a trabalhar com raízes numéricas e contribuindo para seus estudos de geometria. O relacionamento com Pacioli foi particularmente valioso para um artista tão intrigado com a proporção e a perspectiva. O tratado seguinte de Pacioli, *De divina proportione*, contém 60 figuras desenhadas por Leonardo, incluindo sua famosa ilustração das proporções do corpo. Para fazer isso, ele usou a forma clássica introduzida pelo arquiteto romano Vitruvius, que acreditava que a perfeita proporção num prédio devia basear-se na perfeita proporção no homem, descrito por Leonardo com as extremidades esticadas, dentro de um quadrado e de um círculo ao mesmo tempo. Muito provavelmente, sua contribuição para esse livro estimulou-o à sua própria obra posterior sobre proporção humana.

Foi Pacioli quem, numa carta a Ludovico de 1498, escreveu: "Leonardo, com toda a sua diligência, concluiu seu louvável Livro Sobre Pintura e Movimento Humano", fazendo parecer que havia um volume completo com esse nome. O que queria dizer com isso não está claro, embora outros mais tarde extraíssem páginas dos cadernos de anotações de Leonardo e as compilassem numa monografia que recebeu o título de *Tratado de Pintura.* Como foi publicado com esse nome em 1651, muitas pessoas têm pensado erroneamente que é de fato um livro concluído pelo mestre.

Se Ludovico houvesse sido mais sábio em política, tivesse mais sorte em suas alianças ou fosse mais talentoso na guerra, Leonardo poderia ter permanecido em Milão pelo resto da vida. Mas Il Moro não foi nada disso. Sobretudo em suas relações com a França, parece ter sido um político, diplomata e guerreiro azarado, tudo junto. Depois de apoiado pelo unificador da França, Luís XI, em suas intrigas pelo ducado, viu-se aliado, com a morte de Luís em 1483, de seu inepto jovem filho e sucessor, Carlos VIII. Como este tinha ambições de adquirir o trono de Nápoles (que de fato tomou em 1493), um dos tradicionais inimigos de Milão, pareceu conveniente a Ludovico convidá-lo a levar seu exército à sua cidade, para o que seria uma visita cerimonial. O ressentimento dos milaneses e a má conduta dos soldados franceses resultaram em considerável tensão, e então Ludovico cometeu seu primeiro erro sério. Tendo o papa e a república de Veneza formado uma liga contra os franceses, ele rompeu sua aliança com Carlos e uniu-se a eles, junto com a Áustria. A liga conseguiu expulsar Carlos de volta para a França, onde ele morreu em 1498. Foi sucedido por Luís XII, neto da mesma família Visconti da qual Francesco Sforza usurpara o trono. Luís, o que não surpreende, proclamou seu direito de governar Milão, e não surpreendentemente, também, os venezianos e o papa abandonaram sua incômoda aliança com Ludovico e juntaram-se ao rei francês no ataque ao ducado. Il Moro nem sequer chegou a testar a força das grandes fortificações em torno de sua cidade aparentemente inexpugnável. Vendo a figurada escrita francesa nas maciças muralhas, fugiu para Innsbruck em busca da proteção do marido de sua sobrinha, o Imperador Maximiliano. No verão de 1499, Luís entrou sem oposição em Milão, à testa de um imenso exército. Entre seus soldados estavam os arqueiros gascões que destruíram o modelo de barro do grande cavalo.

Leonardo viu a mesma escrita. Apesar de seus freqüentes resmungos sobre pagamento, tinha de algum modo economizado até 600 florins (alguns dizem que lhe haviam pago recentemente certos atrasados), e mandou-os em dezembro para um banco em Florença, como preparativo para despedir-se da cidade que fora seu lar por tantos anos. Com Pacioli, um pupilo favorito chamado Andrea Salai e vários outros amigos e seguidores, partiu para Mântua, em cuja segurança pretendia demorar-se o bastante para observar o desenrolar dos fatos em Milão. Ficando só pouco tempo nessa cidade, seguiu viagem para Veneza, voltando por fim a Florença em abril de 1500, quando percebeu que os esforços de seu patrono milanês para recuperar o trono seriam em vão. Leonardo acabara de comemorar seu 48º aniversário.

Enquanto isso, com a ajuda de Maximiliano, Ludovico retomara posse de Milão em fevereiro de 1500, mas em abril mercenários suíços em seu exército desertaram diante de uma poderosa força francesa perto de Novarra. Disfarçado de piqueteiro suíço, Ludovico foi capturado quando tentava escapar. Levaram-no para a França, onde o lançaram numa masmorra no castelo de Loches, em Touraine. Ele ali permaneceu até sua morte em 1508.

A tristeza e o "poderia ter sido" desses dias difíceis refletem-se no melancólico comentário de Leonardo, provavelmente feito quando se preparava para deixar Veneza, percebendo que não ia retornar a Milão: "O Governador foi feito prisioneiro, o Visconti levado, e seu filho morto: o Duque perdeu seu estado, suas posses e sua liberdade, e nenhuma de suas obras foi concluída por ele." Acabara a breve glória dos Sforza. Mas Leonardo devia ter alguma idéia de futuro naquela cidade onde tanto realizara e deixara incompleto, porque não vendeu seu vinhedo, preferindo em vez disso alugá-lo.

A data aproximada da chegada de Leonardo a Florença é sabida pelo registro bancário que atesta que ele retirou seus 600 florins a 24 de abril de 1500. O retorno foi para uma cidade muito diferente daquela que ele deixara aos 18 anos.

IV

Os Fatos: Florença, 1500-1502
Roma, 1502-1503
Florença, 1503-1506
Idade: 48-54

Florença deve ter parecido de fato estranha a Leonardo. Com o Medici exilado poucos anos após sua partida, o exército francês de Carlos VIII ocupara a cidade. Para recuperar certo grau de independência, os florentinos haviam forçado seus recursos, pagando um imenso suborno a Carlos para convencê-lo a partir, e como resultado o crédito e a economia sofriam. Apesar de paga, a França continuava sendo uma ameaça, como o eram os exércitos do Papa Alexandre VI. Outra ameaça, embora menos franca no momento, era o chefe sobrevivente da família Medici, Piero, que tramava seu retorno ao poder. Como se tudo isso não bastasse, os pisanos achavam-se em revolta. Embora agora uma república, a grande cidade de Florença estava impregnada com uma assombrosa atmosfera de agitação.

Aos 48 anos, Leonardo entrava num período da vida que era considerado velhice, não tanto porque a expectativa média de vida ficava perto dos 40, mas porque o desaparecimento das forças começava muito mais cedo que hoje. Ele não era mais o jovem artista promissor que começava a ser conhecido como um homem de futuro brilhante. Apesar do fracasso final, o cavalo de Sforza e *A Última Ceia* haviam-no tornado famoso em toda a Itália e provavelmente em toda a Europa, assim como as outras obras que fizera em Milão. O conhecimento de seu envolvimento em estudos científicos e matemáticos — embora poucos soubessem dos detalhes — ampliava sua reputação de gênio. A volta de Leonardo era motivo de otimismo para Florença, e apesar de sua idade cronológica, ele continuava sendo um homem de grande vigor e entusiasmo. Muito se esperava dele. Mas o prazer geral em presença de Leonardo aparentemente não era compartilhado por um mal-humorado esteta de 25 anos chamado Michelangelo Buonarroti, o Michelangelo, então despontando como o mais talentoso jovem artista da cidade.

Leonardo estava, em certos aspectos, diferente do que fora durante sua estada anterior em Florença, no sentido de que as qualidades tão impressionantes da juventude haviam evoluído na maturidade de grande realização, apesar de tanta coisa ter sido deixada incompleta ou nem ao menos experimentada. Sua fama como engenheiro militar era extraordinária, embora Ludovico não houvesse implementado praticamente nada de suas sugestões; era considerado um grande arquiteto, embora pouco existisse para comprovar isso; sua supervisão e projetos de festas cívicas eram conhecidos em toda parte (mas ele se achava então farto disso); e seu fascínio pela matemática, mecânica e ciência crescera ao ponto da paixão, como um amante que dirige toda ação para o momento em que poderá retornar aos braços da amada.

Mas independentemente da evolução de sua reputação, interesses, e mesmo talentos, o Leonardo básico não mudara. Continuava o homem afável e considerado que sempre fora, e um leal defensor dos amigos e dos que tinham passado a depender dele, fossem colegas artistas e intelectuais ou simplesmente membros de sua casa, como os vários rapazes ou meninos bonitos que pareciam sempre fazer parte de sua vida. Continuava a ler extensamente, sempre tentando aperfeiçoar seu conhecimento de literatura e ciência, para assegurar-se de que sua arte e seus estudos de mecânica e da natureza seriam feitos com um entendimento que, até onde possível, excluía os erros cometidos por ignorância. Mas para ele, os grandes erros eram os que resultavam da anulação do pensamento independente. Embora lesse e aprendesse para aumentar seu cabedal de informação, sabia que o caminho mais direto para a verdade é a repetida experiência pessoal com os fenômenos e leis da natureza: "O mais grandioso de todos os livros, ou seja, o Universo, está aberto diante de nossos olhos", escreveu.

Claro, Leonardo não tinha como conhecer a medida de sua dívida com pensadores anteriores. A medicina e a anatomia de sua época eram dominadas pelos ensinamentos do médico grego Galeno, do século II, interpretados e transmitidos por séculos de médicos de fala árabe. Galeno e os árabes eram o pano de fundo contra o qual ele buscava novos conhecimentos; *sotto voce*, continuaram a falar-lhe mesmo quando ele fazia o possível para evitar sua influência. Embora mais livre dessas tendências inerentes do que o seria qualquer homem durante séculos futuros, estava ainda assim, por mais levemente que fosse, sobrecarregado com alguns conceitos gerais de cujo efeito sobre seu pensamento continuaria ignorante.

As filosofias e duvidosas teorias armazenadas por seus antecessores não exerciam apelo consciente sobre Leonardo, e ele não desejava usá-las em suas formulações. "Quem pode ir à fonte não vai ao jarro d'água", proclamou, e viveu toda a sua vida de pesquisa de acordo com esse preceito, cortando os vãos pronunciamentos dos didatas contemporâneos com investigações precisas, repetidas vezes e vezes, para assegurar-se de sua precisão. Usava com orgulho a afirmação de que era "um homem iletrado", como um emblema de quem busca não ser influenciado por outros julgamentos que não aqueles a que chegava por suas próprias observações isentas. A resposta que dava aos que dependiam de pensadores anteriores para moldar suas crenças era sucinta e clara. Ao aproximar-se dos 40 anos, escrevera em seus cadernos de anotações:

> Tenho plena consciência de que, não sendo eu um homem de letras, algumas pessoas presunçosas pensarão que poderão acertadamente me desacreditar, alegando que sou totalmente iletrado. Gente tola! Sabem eles que posso responder, como respondeu Marius aos patrícios romanos, dizendo: "Os que se ataviam com os labores de outros não me permitirão os meus próprios." Dirão que eu, não tendo formação literária, não posso expressar em palavras, de forma adequada, o que desejo tratar. Mas não sabem que meus temas devem ser tratados mais pela experiência que pelas palavras: e a experiência foi a amante dos que escreveram bem. E assim, como amante, eu a citarei em todos os casos. Embora eu possa não ser capaz, como eles, de citar outros autores, me apoiarei naquela que é muito maior e muito mais digna — a experiência, a amante de seus mestres. Eles andam por aí emproados e pomposos, vestidos e enfeitados com [os frutos de] labores que não são seus, mas de outros. E não me permitirão os meus.

> Desprezar-me-ão como inventor; mas muito mais poderiam eles — que não são inventores, mas gabolas e declamadores de palavras alheias — ser censurados.

Com o tempo, veio a compreender que sua constante leitura e auto-educação o haviam feito um homem de considerável capacidade literária, apesar da falta de fluência em latim: "Conheço tantas palavras em minha língua materna que estou mais preocupado em não compreender bem as coisas que com a falta de palavras para exprimir as idéias de minha mente."

E outra coisa em Leonardo tampouco mudara — ainda parecia incapaz de concluir muitas das encomendas que recebia. Ao contrário, a situação era pior do que jamais fora. À medida que aumentava sua preocupação com a ciência, ele se tornava cada vez mais impaciente com qualquer coisa que atrapalhasse suas investigações e os desenhos de suas inovações mecânicas. Um exemplo é um projeto que aceitou pouco depois de retornar a Florença.

Os frades da Ordem dos Servitas da igreja da Santissima Annunziata haviam pedido ao artista Filippino Lippo que pintasse um altar para eles, mas o homem se retirou ao saber que Leonardo se interessava em fazê-lo. Os monges instalaram o badalado luminar e os membros de sua casa no mosteiro e passaram a pagar também todas as despesas deles. Vasari descreve o rumo dos acontecimentos que se seguiram:

> Ele os manteve esperando por muito tempo. Finalmente, fez um cartão [desenho a ser usado como modelo da obra final] com a Virgem, Sant'Ana e o menino Jesus, mostra-

> dos de forma tão admirável que não apenas pasmou os artistas, mas a câmara onde estava ficou apinhada de homens e mulheres durante dois dias, todos correndo para ver as maravilhas produzidas por Leonardo. (...) Ele então pintou o retrato de Ginevra, esposa de Amerigo Bengi, uma coisa belíssima, e abandonou a encomenda que lhe fora confiada pelos monges servitas.

Nada se sabe do motivo por que Leonardo abandonou a obra dos monges e aceitou outro serviço, mas esse comportamento dificilmente seria atípico dele. Com toda a probabilidade, jamais concluiu o retrato de Ginevra tampouco. O que chegou a fazer parece ter-se perdido, embora alguns estudiosos digam que Vasari se enganou nas datas, e o retrato de Ginevra é do primeiro período florentino. Isso quase não importa. Quer tenha sido o retrato de Ginevra ou qualquer outro, esse tipo de coisa ocorria com freqüência, porque Leonardo raramente se convencia de que seus quadros eram perfeitos. Obras que outros declaravam completas muitas vezes eram consideradas incompletas pelo pintor, cujas idéias de perfeição se baseavam em critérios demasiado grandiosos para a maioria. Vasari o diz de forma melhor: "Leonardo, com seu profundo conhecimento de arte, começou vários empreendimentos, muitos dos quais jamais concluiu, porque lhe parecia que a mão nunca conseguia dar a devida perfeição ao objeto ou objetivo que tinha nos pensamentos ou via na imaginação — uma vez que na mente muitas vezes formava uma concepção difícil, tão sutil e maravilhosa que mão nenhuma, por mais excelente ou capaz que fosse, poderia algum dia dar-lhe expressão."

Mas esses breves quatro anos em Florença foram ainda assim extraordinariamente produtivos, pelo menos no número de pinturas que saíram de seu ateliê sob sua supervisão direta. Embora muito da produção dessa época não mais exista, existem registros suficientes para mostrar que, qualquer que tenha sido a relutância, muito trabalho artístico foi realizado.

Podemos ter uma idéia das distrações de Leonardo, durante esse segundo período florentino, pela carta escrita a Isabella d'Este, de Mântua, em 1501, por Pietro di Novellara, citada no capítulo I. Era bem sabido em Florença que o mestre de vez em quando acrescentava uma ou duas pinceladas em pinturas que seus pupilos executavam em seu nome, mas fora isso mantinha-se distante.

Embora Leonardo afastasse cada vez mais suas atenções da pintura, ainda tinha de ganhar a vida. Uma oportunidade de melhorar sua situação financeira logo se apresentou com as intermináveis revoltas políticas da península italiana e a presença pessoal de Cesare Borgia, o príncipe do *opus* de Maquiavel.

Em 1501, o Papa Alexandre VI deu a seu filho ilegítimo, o inescrupuloso Cesare, o título de Duque da Romagna, uma ampla área da Itália central. As tentativas anteriores do papa de assegurar o futuro de seu nefando rebento haviam feito de Cesare arcebispo de Valencia aos 16 anos, e cardeal um ano depois. Mas mesmo naqueles tempos de traição e corrupção, parece ter havido limites para o que se tolerava, e o depravado Cesare logo demonstrou que não era apto para o clero. De qualquer forma, ambicionava tanto o poder secular que renunciou à sua posição e substituiu a mitra pelo capacete de guerreiro, decidido a estabelecer-se à testa de um principado hereditário fossem quais fossem as perfídias e brutalidades necessárias para subjugar as várias províncias e cidades de sua pretendida suserania. Logo se viu em grande necessidade de um talentoso engenheiro geral e arquiteto militar.

Quando convidou Leonardo a assumir esses deveres, Cesare conseguira vários sucessos militares sensacionais e era amplamente conhecido pela perversidade de suas táticas e pela aterrorizante crueldade de seu governo. Englobando todos os seus domínios num único título, chamou-se grandiosamente "Cesare Borgia de França, pela graça de Deus Duque da Romagna e de Valencia e Urbino, Príncipe de Andria, Senhor de Piombino, Gonfaloniere e Capitão geral da Santa Igreja Romana". Só por um ligeiro exagero era "de França", a reivindicação resultando de um recente casamento com Charlotte d'Albreta, filha do rei da Navarra, com o que recebera de Luís XII o título de Duque de Valentinois.

Seria de imaginar que Leonardo, um homem de temperamento suave e pacífico, para quem as maquinações políticas eram anátema, recusaria pôr-se a serviço de um tal tirano; mas não foi bem assim. Ele era, claro, o mesmo homem que escrevera a Ludovico Sforza sobre seus planos para armas de terrível destruição — o mesmo homem que por toda a vida foi fascinado pelos mecanismos e desenhos de várias espécies de máquinas. Era também um homem de grande pragmatismo. Tinha de sustentar-se e aos que haviam passado a depender dele. Além disso, desejava tornar-se financeiramente tão seguro que pudesse prosseguir seus estudos sem ser estorvado pela necessidade de ganhar dinheiro constantemente. Trabalhar para Cesare era sem dúvida para ele simplesmente uma decisão sensata. Já fizera esse tipo de coisa antes, e o faria de novo. Nem intriga, política, poder ou ideologia parecem jamais ter estado envolvidos. A única motivação de Leonardo era tornar-se livre para ser Leonardo.

A tarefa que lhe foi atribuída era inspecionar as fortalezas e defesas do ducado de Cesare, e fazer quaisquer modificações e consertos que se descobrissem necessários. O conselho do engenheiro geral sobre armamentos talvez tenha sido o motivo pelo qual Nicolau Maquiavel, num despacho de outubro de 1502, pôde escrever: "O Duque tem tanta artilharia, e em tão boa ordem, que sozinho possui quase tanto quanto toda a Itália." Leonardo mudava-se de uma cidade para outra, à medida que elas caíam para o exército e as tramas de Cesare. Não apenas realizou seus deveres como engenheiro geral, mas pôde aproveitar suas viagens para estudar a topografia da região, preparar mapas e investigar métodos pelos quais se poderiam drenar os pântanos. Passou o verão de 1502 e o inverno de 1502-1503 empenhado nesse trabalho, voltando a Florença quando a campanha terminou e Borgia retornou a Roma em fevereiro de 1503. Suas expectativas de grandes recompensas financeiras não se concretizaram — em vez de um depósito, teve de fazer um saque de 50 mil florins de sua conta bancária, o que fez a 4 de março. Quanto a Cesare, logo iria sofrer uma série de infortúnios que terminaram com sua ignominiosa morte numa obscura escaramuça com rebeldes navarreses em 1507.

Os talentos de Leonardo como engenheiro militar logo foram utilizados pelos florentinos, e em julho de 1503 pediram-lhe que assessorasse a força que sitiava Pisa. Ele criou planos para um canal com um engenhoso sistema de comportas e eclusas, para servir ao duplo propósito de privar os defensores de água, desviando o Arno da cidade sitiada, e oferecer a Florença uma via aquática para o mar. Iniciou-se a construção do projeto em agosto, mas por motivos incertos o mesmo foi abandonado após quase dois meses.

Em breve haviam recomeçado as dissecações em Santa Maria Nuova (os biógrafos discordam sobre se ocorreram durante o primeiro período da volta a Florença, em 1500 e 1501), facilitadas pela localização da residência de Leonardo, que ficava perto do hospital ou, como dizem alguns comentaristas, dentro dele. Nessa época ele já se tornara um dissecador muito competente, e podia fazer certas observações meticulosas que antes talvez lhe escapassem. É óbvio que suas crescentes habilidades tornavam o trabalho muito mais interessante, e logo ele se achava inteiramente absorvido. Descreve um encontro com um homem no hospital que dizia ter 100 anos e parecia gozar de boa saúde. Pouco depois, o velho morreu de repente, sentado na cama, e Leonardo, que "examinou a anatomia para verificar a causa de uma morte tão suave", descobriu que fora "uma fraqueza em conseqüência da falha do sangue e da artéria que alimenta o coração e os membros inferiores, que encontrei muito ressecados, encolhidos e murchos; anotei cuidadosamente o resultado desse exame". E mais diretamente ainda: "Os vasos no idoso, pelo engrossamento das túnicas, restringem o trânsito do sangue, e devido à falta de alimentação os velhos, falhando aos poucos, destroem sua vida com uma morte lenta, sem qualquer febre."

Por mais espantoso que seja encontrar uma tal declaração em seus cadernos de anotações, Leonardo descrevia a arteriosclerose da aorta, e talvez até mesmo a obstrução da artéria coronária, centenas de anos antes que qualquer das duas fosse reconhecida pelos médicos. O que ele quer dizer com "a artéria que alimenta o coração" está aberto a interpretações, mas pode-se inferir, pela meticulosidade de seus outros estudos dessas partes da anatomia, que já reconhecera as artérias coronárias como ramos da aorta pela qual o coração é abastecido. De qualquer modo, notou claramente que os membros inferiores murchavam por serem inadequadamente alimentados — "ressecados, encolhidos e murchos" — devido à obstrução arterial. Isso foi observado numa época em que as universidades ainda ensinavam a crença galênica, de 1.300 anos atrás, de que a nutrição chega às extremidades pelo mecanismo de fluxo e refluxo que leva o sangue através de veias originadas no fígado.

A argúcia das observações de Leonardo foi ajudada por uma espécie de coincidência. Mais ou menos na mesma época em que dissecava o velho, fez uma dissecação numa criança de dois anos. Deve ter-se interessado muito pelas diferenças entre os vasos sangüíneos dos dois, e as condições das estruturas que apresentavam. Embora chegar às conclusões corretas a partir de tais observações pareça bastante simples para nós hoje, com toda a visão retrospectiva dos últimos 250 anos de pesquisa em anatomia patológica, seria pouco provável que qualquer outro dissecador da época as tirasse.

A segunda estada florentina ofereceu a ocasião para um frustrado torneio de titãs entre Leonardo e o jovem Michelangelo, que a essa altura passara a ter uma considerável antipatia por ele. Até esse ponto, as disputas haviam sido basicamente verbais. O *Anonimo Gaddiono* fala de dois desses episódios. Em um, Leonardo sugeriu ao exasperado Michelangelo, 23 anos mais jovem, que explicasse um trecho de Dante, apenas para receber a resposta: "Explique você mesmo, que fez desenhos de um cavalo para fundir em bronze e não conseguiu, e por vergonha teve de abandoná-lo." O *Anonimo* continua: "E tendo dito isto, girou nos calcanhares e foi-se embora, deixando Leonardo rubro com suas palavras." Em outra ocasião, declara o *Anonimo*, Michelangelo provocou sua presa com: "Quer dizer que acreditaram em você, aqueles capões milaneses?" A simples existência de Leonardo parecia irritar o jovem, e é difícil acreditar que os sentimentos, com o tempo, não passassem a ser retribuídos mesmo por alguém tão paciente quanto o vinciano, apesar da tolerância pela qual era conhecido.

Quando as autoridades decidiram que a recém-construída Casa do Conselho de Florença devia ser decorada com grandes murais, muito naturalmente recorreram aos dois ilustres artistas para fazer o trabalho, em duas paredes opostas. O tema de Leonardo seria a Batalha de Anghiari, em que os florentinos derrotaram os milaneses em 1440; o de Michelangelo, uma força florentina surpreendida por pisanos quando tomavam banho pouco antes de uma batalha.

Leonardo fez grandes planos para seu trabalho, em cujas entrelinhas se pode ler toda a sua filosofia da pintura como captura de um momento na experiência emocional dos temas:

> Deve-se fazer os vencidos e feridos pálidos, as sobrancelhas erguidas e franzidas, e a pele acima enrugada de dor,

os lados do nariz com pregas partindo em arco das narinas até os olhos, e fazer as narinas arregaçadas e os lábios arqueados para cima, descobrindo os dentes superiores; e os dentes separados com gritos e lamentação. E fazer um homem protegendo os olhos aterrorizados com uma das mãos, a palma voltada para o inimigo, a outra pousada no chão para sustentar o corpo semi-erguido. (...) Outros podem ser representados nas agonias da morte, rangendo os dentes, revirando os olhos, os punhos cerrados contra o corpo e as pernas contorcidas. Pode-se mostrar alguém ao longe desarmado e batido pelo inimigo, lançando-se sobre ele, com unhas e dentes, para tirar uma inumana e furiosa vingança. (...) Ver-se-iam alguns dos vitoriosos abandonando a luta e saindo da multidão, esfregando os olhos e faces com as mãos para limpá-los da sujeira criada pelos olhos lacrimosos que ardem da poeira e da fumaça.

Embora houvesse os habituais atrasos intermitentes, Leonardo trabalhou nos cartões para seu mural por um período de dois anos, e em fins de 1505 já estava pintando. Mais uma vez, porém, houve problemas técnicos. Julga-se que o gesso em que a obra era pintada fora malfeito, mas, qualquer que tenha sido o motivo, as cores da parte de cima da pintura escorreram quando o artista tentou secar a obra com o calor de um fogo de carvão. O dano poderia ter sido reparado, mas Leonardo abandonou o projeto e não retornou a ele, alguns dizem que por estar mais interessado no trabalho que fazia então sobre o vôo dos pássaros. O indício para essa suposição é que, entre meados de março e meados de abril de 1505, ele escreveu as páginas chamadas por este nome, *Do Vôo dos Pássaros.* Muito curiosamente, também Michelangelo deixou seu mural incompleto, jamais o levando além do estágio dos cartões da pintura.

Dos vários motivos para lamentar a perda, para o mundo, de duas obras tão monumentais — que haveriam posto os brilhantes talentos de Leonardo e Michelangelo na mesma sala para maravilhar a posteridade — não seria menor a oportunidade de ver diretamente a diferença entre os dois homens em suas respectivas visões da figura humana em ação. Para Michelangelo, exibia-se a ação na forma da tensão nos músculos; para Leonardo, a ação resultava igualmente de forças mecânicas, mas a expressão de sua psicologia subjacente era o verdadeiro selo da arte do pintor. Ele era um homem que sabia que a origem do movimento estava na mente. Não há dúvida que foi sobre seu jovem antagonista que escreveria em 1514: "Ó pintor anatômico. Cuidado, para que na tentativa de fazer vossos nus demonstrarem todas as suas emoções por uma indicação demasiado forte dos ossos, tendões e músculos, não vos torneis um pintor de madeira." Comentando os desenhos e gravuras preparatórios que sobreviveram do que se chamaria *A Batalha de Anghiari*, C. J. Holmes, então diretor da National Gallery da Inglaterra, disse a uma platéia da Academia Britânica em 1922: "Com Leonardo, como sempre, o motivo é psicológico. Seu objetivo é ilustrar o efeito do que qualifica de 'frenesi bestial' da guerra sobre o homem, e em seu animalismo, seu turbulento vigor, o desenho antecipa Rubens. Até os cavalos são contaminados pela fúria de seus amos, e ferram os dentes uns nos outros."

Leonardo propôs devolver o adiantamento pago pela pintura, mas isso foi recusado na acrimônia geral resultante do fracasso do trabalho após tantos atrasos. Enquanto isso, Charles d'Amboise, governador geral de Luís XII em Milão, requisitara o empréstimo dos serviços do artista por um período de três meses, o que as autoridades florentinas relutantemente concederam, após alguns protestos. Em fins de 1506 ou inícios de 1507 — alguns dão a data como outubro de 1508, após a eleição do Papa Leão X — Leonardo achava-se mais uma vez de volta à cidade onde fizera serviços tão variados para Ludovico Sforza.

Sua partida de Florença não significa que também nós já devamos deixá-la. É preciso pôr em dia alguns assuntos, o primeiro dos quais é a morte de Ser Piero da Vinci, em julho de 1504, depois de alcançar a avançada idade de 77 anos e deixar dez filhos e duas filhas. Naquele mesmo ano, há uma nota num dos cadernos de anotações de Leonardo sobre a morte de Caterina e o custo de sua última doença e enterro. Provavelmente jamais se saberá se essa Caterina era a mãe dele ou uma criada do mesmo nome. Alguns biógrafos dizem uma coisa e outros outra, enquanto ainda outros fazem o que parece ser a afirmação mais justificada de que não se pode encontrar a solução. Se a mulher em questão era a mãe de Leonardo, essa anotação significaria que ele esteve em contato com ela durante esses anos, embora não a cite mais em parte alguma dos cadernos. Também poderia ter influenciado seu retrato da Mona Lisa, de um modo que dentro em breve se fará visível.

O outro assunto que ainda precisa ser incorporado pela narrativa é esse mesmo retrato. E para isso, recorremos à monografia penetrante e justamente famosa de Walter Pater sobre Leonardo, de 1869, que Kenneth Clark chamaria 70 anos depois de "monumental", comentando que qualquer coisa que um crítico inglês — incluindo ele mesmo — pudesse escrever depois "será pobre e raso em comparação".

Estudar o hino de louvor de Walter Pater é mergulhar numa atmosfera de sensibilidade quase fantástica. Ele captou um estado emocional cuja apreciação é fundamental para que se possa penetrar a aura em que floresceu a criatividade vinciana. O leitor intui de algum modo no artista um constante estado de atenção interior, desligado das preocupações cotidianas do viver e fazer, e certamente reconhecível por qualquer um que queira ver. "Ele parecia aos que o cercavam uma pessoa ouvindo uma voz, silenciosa para os outros homens", escreveu Pater sobre Leonardo. "Parecia a seus contemporâneos possuir um saber profano e secreto." Nestas duas curtas frases, o famoso crítico captou a essência de uma intensidade vigilante, que ia além do brilho intelectual e mesmo da ardente curiosidade sobre a qual escreveria Freud depois. Aquela voz falava em ritmos dos quais a *Mona Lisa* é a mais fina expressão. Pater disse do rosto dela: "É uma beleza lavrada por dentro na carne, depósito, célula por célula, de estranhos pensamentos e delicadas paixões. (...) Todos os pensamentos e experiência do mundo se gravaram e moldaram ali."

Se "o sorriso da *Mona Lisa* é", como escreveu Kenneth Clark, "o supremo exemplo dessa complexa vida interior, capturada e fixada em matéria duradoura, o que Leonardo em todas as suas notas sobre o tema diz ser um de seus principais objetivos na arte", uma óbvia questão se apresenta: de quem é a vida complexa, sobre a qual séculos de observadores se quedaram perplexos e tentaram explicar? A quem estamos vendo quando contemplamos o rosto aparentemente inescrutável que da tela nos devolve tão diretamente o olhar, como em comunhão com alguma coisa dentro de nós que mesmo nós não entendemos?

Talvez tenha sido Pater quem mais perto chegou da resposta. Sobre o jovem Leonardo em seu primeiro período florentino, escreveu: "Ele aprendeu ali (...) o poder de uma presença interior nas coisas que tratava." Sobre a natureza dessa presença interior, só pode conjeturar. Mas a conjetura é feita num tom de certeza, como se ele não tivesse dúvida de suas conclusões. Neste sentido, é pertinente lembrar seu comentário sobre a "interfusão dos extremos de beleza e terror" de Leonardo. A experiência de vida é simbolizada na antiga aventura do artista quando explorava as colinas perto de Florença: parece muito "a boca de uma enorme caverna", onde o medo e o desejo se mesclam e seduzem ao mesmo tempo em que repelem. Em sua análise da *Mona Lisa*, Kenneth Clark leva-nos apenas um pouco mais além, embora também ele pareça não saber até onde viajou: "O quadro está tão cheio do demônio de Leonardo que esquecemos de pensar nele como um retrato. (...) Ele vê a beleza física da Mona Lisa como uma coisa misteriosa, até mesmo um pouco repulsiva, como um filho poderia sentir a atração física da mãe." Aqui ele nos leva de volta a Freud, embora essas observações à sua maneira ecoem também Pater, escrevendo 55 anos antes que o fundador da psicanálise voltasse seus pensamentos para a *Mona Lisa.*

Neste ponto, seria bom voltar ainda mais atrás, além de Pater e mesmo de Vasari, que forneceu quase tudo que se conhece da gênese do quadro. Precisamos voltar à mulher verdadeira. Depois de tornar-se, aos 16 anos, a terceira esposa de Francesco del Giocondo, de 35, Mona Lisa di Anton Maria Gherardini tinha 24 em 1503, que foi provavelmente o ponto médio dos quatro anos nos quais se julga que Leonardo trabalhou intermitentemente em seu retrato. Diz-nos Vasari: "Quando a pintava, Leonardo tinha alguém por perto cantando ou tocando para ela, ou divertindo-a com brincadeiras, a fim de afastar dela aquele ar de melancolia tão comum nos retratos." Não se pode deixar de imaginar, como fez Kenneth Keele, e Freud antes dele, por que o estimado artista, tão requisitado, escolheria essa determinada mulher para pintar, quando, como diz Keele, "mulheres muito mais ricas e famosas clamavam para posar para ele", incluindo membros da alta nobreza. E também se cogita por que o artista jamais entregou o quadro a Giocondo, mantendo-o consigo até o dia em que morreu. A razão que declarava era que estava inacabado, e talvez se deva acreditar nele, sobretudo em vista da descrição por Vasari de sua atitude em relação a acabamento.

Na mente perfeccionista de Leonardo, isso podia ser verdade. Ainda assim, é difícil acreditar que retivesse o que deve ter parecido a La Gioconda e ao marido, em todos os aspectos, um retrato excelente e inteiramente acabado, sem ter de superar muito da considerável resistência deles. Deve ter querido muito mantê-lo. E, claro, *deve* tê-lo julgado inacabado, uma vez que o tema era em si uma perfeição que mesmo ele não poderia repetir numa simples tela.

São intermináveis as interpretações feitas sobre o retrato de Mona Lisa, e a minha certamente não será a última. Freud, claro, afirmou que "esse quadro contém a síntese da história da infância de Leonardo". Nessa formulação, o sorriso que o artista via no rosto da Mona Lisa quando entretida pela música e as brincadeiras evocava nele a lembrança do sorriso de sua mãe. Keele, médico clínico, pegou essa imagem e levou-a um passo adiante: convenceu-se de que certos sinais físicos indicam que La Gioconda estava grávida — o seu sorriso é de satisfação interior pelo milagre da vida que se cria dentro de seu corpo. Não se pode deixar de ficar impressionado com a defesa que ele faz de sua tese, incluindo a posição das mãos e sua aparente leve inchação, o que pode explicar a ausência de anéis nos dedos de uma próspera mulher casada. A localização das mãos e o drapeamento das roupas sugerem que um aumento do abdômen está sendo disfarçado pelo artista e a modelo.

Keele sustenta sua afirmação observando os muitos desenhos anatômicos de Leonardo em que se retratam os processos de reprodução e gravidez, e que vão do conhecidíssimo desenho do ato do coito ao que pode ser a mais famosa descrição anatômica do artista, a do feto no útero. Em geral, o argumento é bem desenvolvido, sobretudo quando ele lhe acrescenta a descrição do pano de fundo de montanhas e lagos diante do qual La Gioconda se põe. A associação, observa, "ocorre em dois outros quadros [de Leonardo] que têm a maternidade como tema central: a *Virgem dos Rochedos* e *Sant'Ana, a Virgem e o Menino.*

Como tantos outros, estou bastante convencido da tese de que a *Mona Lisa* é o idealizado tributo de Leonardo à maternidade, e na verdade à sua provavelmente inconsciente preocupação com o resgate dos primeiros anos, durante os quais fora o astro único no firmamento da mãe, tenha sido essa mãe Caterina ou a bondosa e amorosa Albiera, ou mesmo as duas. A ambivalência lá está, entre a atração e a repulsa que Pater e Clark — e certamente Freud — postulam, como também o enigma. Mas eu me descobri imaginando outra coisa. A imaginação resulta do argumento de Freud sobre a dinâmica do homossexualismo em certos homens, um argumento até recentemente aceito por grande parte da comunidade dos psiquiatras, deve-se lembrar, como um dos mecanismos que podem causar ou contribuir para a sua ocorrência. Mesmo hoje, quando a ênfase é na origem biológica — e especificamente genética — do homossexualismo, a tese de Freud recusou-se a passar sem estardalhaço para a história. Como outra de suas hipóteses que tantos hoje rejeitaram, permanece, e encontra expressão quando se empreende uma busca imaginativa dos significados ocultos do comportamento humano.

A afirmação de Freud, deve-se lembrar, é que o menino que se sente ameaçado pelo tom esmagador de um amor de mãe pode buscar proteger-se reprimindo seu próprio amor e pondo-se no lugar dela. Identificando-se com ela, ele assim, num certo sentido, torna-se ela. O objeto de seu amor torna-se ele próprio. Ele é Narciso.

Dado que a *Mona Lisa* parece representar uma maternidade idealizada; dado que está "tomada pelo demônio de Leonardo", como diz Clark; e dado que Pater, quando Freud mal chegara à adolescência, reconheceu no quadro que "desde a infância vemos essa imagem definindo-se no tecido de seus sonhos. (...) Qual era a relação de uma florentina viva com essa criatura de seu pensamento? Por quais estranhas afinidades o sonho e a pessoa se tornaram tão separados assim, e no entanto tão intimamente unidos?" Em vista de tudo isso, dificilmente se pode escapar à conclusão de que *La Gioconda* é a expressão última da vida interior de um homem que viveu segundo a proposição de que a maior arte é aquela "que, por suas ações, melhor expressa as paixões da alma". Com isso queria dizer não apenas a alma do retratado, porém mais ainda a do artista — não apenas a mãe (que, afinal, não tem aliança — e está mais gorda do que as esguias jovens esposas da época, como estaria Caterina), mas também do filho. A *Mona Lisa*, a mãe idealizada de Leonardo, é, acredito, também Leonardo — "dono de um saber profano e secreto", e portanto esboçando aquele sorriso enigmático. O próprio artista é o tema de sua arte.

Em certos aspectos importantes, pintar um retrato é como escrever uma biografia, e mesmo a linguagem metafórica com a qual se descreve o trabalho literário atesta as semelhanças. Nós "retratamos" nosso biografado e "pintamos" sua vida, entre outras figuras de retórica. Samuel Taylor Coleridge escrevia sobre os dois quando escrevia sobre apenas um: "Quando um homem tenta descrever o caráter de outra pessoa, pode estar certo ou errado, mas numa coisa sempre terá êxito, que é no descrever-se a si próprio." E o mesmo se pode dizer, eu proporia, de Leonardo e *La Gioconda*. Ele descrevia a mãe e a si mesmo. Até onde cada descrição estava perto da consciência, só podemos imaginar. O autor criava, ao mesmo tempo, biografia e autobiografia.

V

Os Fatos: Milão, 1506-1513
Roma, 1513-1515
Amboise, 1516-1519
Idade: 54-67

É muito provável que o chamado de Charles D'Amboise para que retornasse por três meses a Milão fosse um alívio para Leonardo, prometendo uma breve folga dos problemas. O fracasso de *A Batalha de Anghiari* deve ter causado considerável insatisfação pública, sobretudo quando era bem sabido que o tempo cada vez maior gasto com os estudos matemáticos e científicos impedira o artista de dar toda a atenção à obra. Além disso, Milão era então muito mais estável em termos políticos que Florença, e certamente mais do que fora sob Ludovico Sforza. Era hora de o imperador Habsburgo Maximiliano I reconhecer o rei francês Luís XII como duque de Milão, e os militares franceses poderiam assegurar que a cidade ficasse livre da ameaça de invasão.

Quer por iniciativa própria ou a pedido de D'Amboise, logo ficou entendido que a estada de Leonardo seria estendida indefinidamente. Quando Luís fez sua entrada formal em Milão, em maio de 1507, o artista já se achava na cidade há pelo menos seis meses, tendo recebido o título de Pintor e Engenheiro Honorário do governo francês. Quase certamente, é a essa ocasião que Vasari se refere quando fala da época em que "o rei da França foi a Milão, e pediu-se a Leonardo que preparasse alguma coisa extraordinária para a sua recepção. Ele construiu um leão que avançava alguns passos, depois abria o peito, inteiramente cheio de lírios." Foi mais uma vez um contribuinte das festas, embora não mais mestre dos desfiles.

Os seis anos gastos a serviço do rei francês foram mais tranqüilos que quaisquer outros que Leonardo conhecera desde que buscara patrocínio nobre sob Ludovico. Não apenas foi favorecido por d'Amboise, mas recebeu pagamento regular, o que talvez tenha sido o motivo de ter podido dedicar-se assiduamente, durante esse período, a seus interesses científicos. Com uma renda previsível, não era mais necessário aceitar encomendas que muitas vezes deixava incompletas. Na verdade, além do famoso autoretrato em sépia hoje tantas vezes reproduzido, nem uma única obra artística digna de nota data desse segundo período milanês. Embora o retrato seja de um homem que parece ter mais que sua idade, de aproximadamente 60 anos, as feições admiravelmente bonitas dos dias de juventude permanecem, o rosto agora de sábio — sereno como sempre, mas ainda mais majestoso.

Foi em Milão que Leonardo pôde também dar plena vazão ao crescente fascínio pela anatomia. Seus estudos ganharam um considerável impulso com a íntima amizade que ele passou a ter mais ou menos nessa época com um notável jovem intelectual chamado Marcantonio della Torre, recentemente chamado a Pávia da Universidade de Pádua, onde fora nomeado professor de Teoria da Medicina aos 25 anos de idade. O objetivo da oferta de Pádua era que ele estabelecesse uma escola de anatomia. Alguns biógrafos escrevem que os dois se conheceram em 1506, quando Leonardo estava em Florença, e outros que isso só se deu já nos anos de Milão, em 1510. Em qualquer dos casos, a ligação foi relativamente curta, porque della Torre morreu de peste em 1511 ou 1512, na cidade de Riva, aonde fora tratar das vítimas de uma epidemia.

Embora della Torre fosse 30 anos mais jovem que Leonardo, a diferença cronológica não tinha importância para um autodidata ávido por aumentar seu conhecimento. Como nenhum dos trabalhos do mais jovem sobrevive, não há prova para apoiar a afirmação de Vasari de que o papel de Leonardo foi apenas o de ilustrá-los, usando suas próprias dissecações como fonte. É muito provável que a relação fosse mais de iguais. É difícil saber o grau exato em que qualquer dos dois foi a influência preponderante sobre o outro, com a maioria das autoridades mais recentes duvidando do domínio de della Torre, baseadas no fato de que Leonardo já ia bem avançado nos estudos anatômicos na época em que se conheceram. O papel do jovem professor foi provavelmente o de estimular o amigo, encorajá-lo em seu trabalho, e tentar — na maioria das vezes sem sucesso, deve-se admitir — introduzir algum plano ou pelo menos um *modicum* de disciplina em seu trabalho. Parece seguro supor que o relacionamento deve ter servido para influenciar o suficiente as dissecações de Leonardo e sua interpretação para que desde então assumissem uma sofisticação antes ausente.

Leonardo era de fato um pensador independente demais, e contava demais com suas próprias observações, para deixar-se influenciar demasiado por della Torre, ainda muito sob o fascínio da anatomia nas obras de Galeno, quase toda baseada em dissecações de animais, e conseqüentemente errônea em alguns detalhes e conceitos-chave. Pode-se também observar a nomenclatura das partes por Leonardo, na maioria de origem árabe, em vez da terminologia grega usada por della Torre, segundo os contemporâneos. Isso pareceria indicar que Leonardo aprendia muito mais com suas leituras de textos contemporâneos, de forte influência árabe, que com o exemplo do amigo. Como em todas as questões intelectuais, pegava o que precisava para aperfeiçoar seu entendimento, e depois seguia seu próprio caminho.

A intenção de Leonardo de publicar um tratado formal sobre anatomia é indicada por sua própria declaração, a que já nos referimos antes, nos textos reunidos como o *Tratado de Pintura*, de que uma obra assim estaria concluída na primavera de 1510. Talvez fosse exortação de della Torre que ele empreendesse um projeto tão organizado, mas é claro que o projeto jamais chegou a realizar-se; a grande parte dos estudos anatômicos sobreviventes teve de esperar, para ser examinada por estudiosos, até sua redescoberta no Castelo de Windsor, no século XVIII.

Que Leonardo pretendia um dia pôr sua dispersa investigação em ordem, também fica evidente em outro apontamento num manuscrito hoje no Museu Britânico, escrito mais ou menos nessa época. Ele estava em Florença quando o escreveu, temporariamente ausente de Milão para acompanhar um processo judicial sobre a propriedade de seu pai. Quando Ser Piero morreu sem deixar testamento, sete dos irmãos legítimos de Leonardo tentaram impedi-lo de partilhar da herança, e fizeram o mesmo em 1507, quando morreu um tio. Este deixara uma parte para cada um dos homens, mas os irmãos tentaram anular o testamento para excluir o bastardo.

Os procedimentos legais arrastaram-se por muitos meses, durante os quais Leonardo foi obrigado a ficar em Florença, tendo bastante tempo para pensar em sua obra. A anotação diz:

> Iniciado em Florença na casa de Piero di Braccio Martelli, no 22º dia de março de 1508. E deve ser uma coleção sem ordem, retirada de muitos papéis que copiei aqui, esperando depois organizá-los, cada um em seu lugar, segundo os assuntos tratados; e acredito que antes de chegar ao fim disso terei de repetir as mesmas coisas várias vezes, pelo que o leitor não deve me culpar, porque os assuntos são muitos e a memória não pode retê-los e dizer: "Não vou escrever isto porque já escrevi antes." Pois se eu quisesse evitar cair nesse erro, seria necessário que, em cada caso em que quisesse copiar um trecho para não repetir-me, relesse tudo que veio antes, e tanto mais por causa da extensão do intervalo entre um tempo de escrita e outro.

Em outras palavras, Leonardo informava a algum leitor potencial que não tinha intenção de fazer qualquer revisão, se de fato se sentasse para o entediante trabalho de pôr sua *oeuvre* em forma publicável. Apesar dessa corajosa declaração, não há indício em momento algum, durante suas sete décadas de vida, de que ele algum dia tenha parado o suficiente em sua constante busca de conhecimento para permitir-se o prazer de organizar o que descobrira. Havia sempre tanta coisa a fazer, tanta coisa a aprender, que pôr tudo em montinhos arrumados de conhecimento devia parecer uma perda de tempo e talento. E, além disso, seus estudos na verdade eram feitos apenas para ele, e não com qualquer propósito mais amplo de educar os contemporâneos; era com ele mesmo que seus textos conversavam. Leonardo parece não ter tido idéia de dar alguma contribuição formal ao progresso científico, a não ser no sentido de que suas descobertas iriam em última análise beneficiar a humanidade. Seu objetivo era satisfazer sua insaciável sede de descobrir como tudo funciona, e por quê. Interessava-se pela ação, mas era a causa dessa ação que o fascinava.

E havia bastante para fascinar em sua segunda estada em Milão. Ele fazia agora mais estudos anatômicos com material humano do que antes, e a precisão dos desenhos dessa época melhorou acentuadamente. Por volta de 1513, Leonardo empreendeu um estudo concentrado de ação e causa ao mesmo tempo, focalizando a estrutura e função cardíacas. Embora a maior parte do trabalho fosse realizada com base no estudo do coração, ele fez algumas notáveis observações da estrutura e atividade cardíacas internas, ao lado das quais o parco conhecimento alegado pelos anatomistas da época parece insignificante.

Embora o relacionamento com della Torre fosse demasiado breve, Leonardo conheceu outro jovem, pouco depois de chegar a Milão, cuja amizade se revelaria crucial para a posteridade. Quando morava nos arredores da cidade, na vila de Girolamo Melzi, interessou-se pelo talento artístico do filho adolescente do anfitrião, Francesco. Não demorou muito para que os dois criassem o que se tem chamado de relação pai-filho, formando uma ligação tão forte entre eles que Leonardo levou Francesco consigo quando deixou Milão em 1513, e depois para Roma e para sua casa derradeira na França. Era ao jovem Melzi que todos os manuscritos seriam legados, além dos livros reunidos durante toda uma vida.

Os anos tranqüilos em Milão estavam condenados a acabar numa virada das mesmíssimas forças que se haviam combinado para torná-los possíveis. Naqueles tempos de alianças rapidamente feitas e com a mesma rapidez quebradas, era só uma questão de tempo para que a *entente* entre Maximiliano e o rei francês se dissolvesse. Em 1508, eles, Fernando II de Espanha e o Papa Júlio II haviam-se reunido no que chamaram de Liga de Cambrai, para sufocar forças rebeldes em Gênova e obrigar Veneza a entregar alguns territórios recém-adquiridos. Tão logo se conseguiu isso, Júlio, numa completa meia-volta que desorientou os franceses, aliou-se a Veneza, aos espanhóis e aos suíços, com a intenção de restabelecer a dinastia Sforza. Embora a princípio conseguissem repelir as ofensivas da nova coalizão, os franceses foram finalmente derrotados. A 29 de dezembro de 1512, o filho de Ludovico, Maximiliano, entrou em Milão como seu duque.

Leonardo viu-se, assim, numa situação difícil. Embora Maximiliano o conhecesse como um membro altamente considerado do séquito artístico de seu pai, também o via como um dos favorecidos seguidores de Luís. Não quis oferecer-lhe trabalho. Sem patrono, o artista de 61 anos e todo o seu séquito de alunos, amigos e criados teria de mudar-se. Mais uma vez, os Medici intervieram para influenciar o destino de Leonardo, ou pelo menos seu próximo passo imediato. Em 1512, Giuliano de' Medici, filho de Lorenzo o Magnífico e admirador e mesmo amigo de Leonardo, se tornara chefe do estado de Florença, num golpe sem derramamento de sangue. No ano seguinte, quando o vinciano procurava um lugar que pudesse chamar de lar, Júlio II morreu e o irmão mais velho de

Giuliano, Giovanni, foi eleito Papa Leão X. O novo governante de Florença aconselhou o amigo a mudar-se para Roma, e ele aceitou alegremente a oportunidade. Uma anotação em um dos manuscritos declara simplesmente: "Parti de Milão para Roma, no 24º dia de setembro de 1513, com Giovanni, Francesco de Melzi, Salai, Lorenzo e il Fanfoia."

Em breve, também Giuliano viu-se em Roma, pois Leão X decidira que ele era sonhador e intelectual demais (ou talvez o problema fosse simplesmente que era honesto demais) para conseguir promover os interesses dos Medici em Florença. Homem imaginativo, atraído por pintores, arquitetos, engenheiros e até mesmo alquimistas, Giuliano, mais que o papa, tornou-se o patrono de Leonardo. Providenciou para que seu amigo florentino recebesse uma suíte de aposentos no Palácio Belvedere, na Colina do Vaticano, e se empregasse um arquiteto para redesenhar o espaço dos ateliês e das áreas de habitação.

Mas se Leonardo achava que os esforços de Giuliano em seu favor resultariam em algum tipo de época de ouro naquele final de outono em sua vida, estava fadado a uma decepção. Homens mais jovens ascendiam na corte papal, artisticamente na pessoa de Rafael, com 29 anos, e Michelangelo, 38, os dois no auge de suas realizações, e nenhum deles satisfeito — sobretudo Michelangelo — com a presença do idoso intruso. O ressentido Michelangelo, na verdade, muito provavelmente fez o que pôde para solapar o velho adversário. Como o latim era a língua da corte de Leão, Leonardo achava-se em desvantagem também por sua inadequada capacidade de comunicar-se numa tal atmosfera. Mas encontrou algumas compensações em receber pouco trabalho para fazer — tinha muito tempo livre para dedicar aos estudos de anatomia, matemática e óptica.

Essas preocupações só aumentaram a fama de Leonardo como um homem que se desviava facilmente da conclusão das poucas encomendas artísticas que lhe faziam. Leão deve tê-lo visto como uma virtual alma gêmea do nada prático Giuliano. Vasari conta a história de que lhe encomendaram um quadro, e ele iniciou o projeto destilando algumas ervas e óleos para criar uma nova forma de verniz, destinado a recobrir a obra quando acabada. Para Leonardo, isso era apenas parte de uma experiência que vinha fazendo com novos métodos de preservação, mas aos olhos do papa era uma forma de postergação, para evitar o trabalho que de fato se esperava dele, e podia ter razão, pelo menos em parte. Segundo Vasari, o pontífice exclamou: "Ai! Esse homem não vai fazer coisa alguma, pois está pensando no fim antes de ter feito um começo." Apócrifa ou não, a historinha ilustra a visão geral que Leonardo tinha não só das responsabilidades a ele atribuídas, mas também de suas prioridades, que quase desde o início haviam sido determinadas muito mais por curiosidade e inventividade que por qualquer necessidade prática de cumprir as expectativas dos outros.

Aumentando os problemas gerais resultantes de seu afastamento da corte vieram as intrigas de alguns dos empregados de Leonardo. Dois artesãos alemães parecem ter conspirado para roubar alguns de seus desenhos de espelhos e espalhar rumores maldosos na mente de alguns auxiliares do papa sobre supostas irregularidades sacrílegas nos estudos anatômicos que ele fazia no Ospedale di Santo Spirito. "O Papa descobriu que eu esfolei três cadáveres", ele escreveu, sem dúvida receando as conseqüências. Pediu ajuda a Giuliano, mas não recebeu nenhuma porque o patrono se achava doente então, com a tuberculose que ia tirar sua vida alguns anos depois. Quando Leão X puniu Leonardo pelas indiscrições denunciadas, proibindo-o de continuar com as dissecações, Giuliano não pôde intervir. Os grandes estudos sobre o corpo humano haviam acabado, e jamais seriam retomados com a mesma intensidade. "Os Medici me criaram e me destruíram."

Leonardo tampouco gozava da melhor saúde. Os anos haviam começado a cobrar seu preço, e parte do antigo vigor o abandonara. Os outros notavam alguns problemas de fraqueza e mesmo um tremor na mão direita. Mas ele insistia no trabalho que realmente o interessava. Anotações nos manuscritos falam de um estábulo que construía para Giuliano, e de planos de uma máquina de cunhar moeda para a casa da moeda de Roma. Também se encontram nessas páginas planos para peças de canhões. Embora não se possa documentar, Leonardo também deve ter mantido o interesse anterior pela drenagem dos pântanos romanos, o tipo de projeto no qual se envolvera também em seu período em Milão.

Em 1515, os fatos políticos mais uma vez intervieram na vida de Leonardo. Luís XII morreu no Dia de Ano-Novo e foi sucedido por seu primo Francisco I, que não perdeu tempo em tentar derrubar Maximiliano e restabelecer o controle francês em Milão. Em julho daquele ano, Giuliano, embora com a saúde abalada, foi enviado no comando de tropas papais para frustrar seus desígnios, já tendo o exército francês penetrado até Florença no sul. Num período muito curto, teve de entregar a liderança das tropas a seu sobrinho e retirar-se para Fiesole, onde morreu. Mais uma vez, Leonardo achava-se sem patrono.

Não se sabe onde, nesse catálogo de fatos, Leonardo conheceu o rei francês. Quando Francisco derrotou o exército papal, numa batalha decisiva pouco a sudoeste de Milão, em Marignano (hoje Melegnano), e rumou para Roma, Leão decidiu entrar em reuniões secretas com ele, para impedir outras incursões. Talvez tenha sido nessa época que Leonardo entrou em contato com o homem que iria tornar-se sua próxima fonte de apoio. Lembrando a alta estima que Luís tivera por Leonardo, Francisco convidou-o a acompanhá-lo após a vitoriosa conclusão das conferências, quando conduziu suas tropas em direção ao norte, de volta à França, em dezembro de 1516.

Nesse ponto, no crepúsculo da vida, Leonardo finalmente encontrou um patrono digno de seu gênio. Era tarde demais para realizações, mas não para as honrarias. Nos dois anos e meio restantes de sua vida, foi tratado como o reverenciado professor emérito que em essência se tornara. Francisco deu-lhe um confortável estipêndio e o *chateau* de Cloux — na verdade um pequeno castelo — para morar, perto de sua própria residência real em Amboise. As freqüentes visitas do rei, quando a corte ia a Amboise, tinham quase a natureza de peregrinações, uma vez que o monarca, embora mais guerreiro que culto, figurativamente se sentava aos pés do homem a quem considerava o maior artista e filósofo da época.

Alguma coisa da atitude de Francisco para com Leonardo pode ser extraída de uma declaração que depois seria feita por Benvenuto Cellini. Este chegou para trabalhar na corte francesa em 1540 e soube, diretamente do próprio Francisco, da estima em que seu antecessor era tido:

> O Rei Francisco, estando violentamente enamorado dos seus grandes talentos, tinha tanto prazer em ouvi-lo falar que poucos dias no ano se separava dele, e era por esse motivo que ele não tinha oportunidade de pôr em uso de fato os esplêndidos estudos que fizera com tanta dedicação. Sinto que não devo esquecer de repetir as exatas palavras que ouvi dos lábios do próprio Rei sobre ele, que as disse na presença do Cardeal de Ferrara, do Cardeal de Lorena e do Rei de Navarra. Disse não acreditar que jamais tivesse havido homem nascido no mundo que conhecesse mais coisas que Leonardo, e isso não em assuntos relativos à Escultura, Pintura e Arquitetura, mas porque era um grande Filósofo.

Uma suposição das circunstâncias da vida de Leonardo nesses anos finais é oferecida pelo testemunho de um viajante que foi se encontrar com ele em Cloux, em 1517. O Cardeal Luís de Aragão, meio-irmão do rei de Nápoles, foi ao castelo durante uma extensa excursão pela Europa, e seu secretário, Antonio de Beatis, deixou o seguinte registro da visita:

> No 10º dia de outubro de 1517, Monsenhor e o resto de nós fomos ver, numa das partes dos arredores de Amboise, Messer Lunardo Vinci o Florentino, um velho de mais de 70 anos, o mais excelente pintor de nossa época, que mostrou a Sua Excelência três quadros, um de uma dama florentina feita ao vivo, a pedido do falecido Magnífico, Giuliano de Medici, outro de São João Batista quando jovem, e um da Virgem com o Menino no colo de Sant'Ana, todos perfeitíssimos, e de quem, como estava

então sujeito a uma certa paralisia da mão direita, não se podia mais esperar bom trabalho. Ele deu boa instrução a um pupilo milanês, que trabalha muito bem. E embora o acima citado Messer Lunardo não possa colorir com a mesma suavidade de antes, ainda é capaz de fazer desenhos e instruir outros. Esse cavalheiro escreveu sobre a anatomia com muitos detalhes, mostrando com ilustrações os membros, músculos, nervos, veias, tendões, intestinos e qualquer coisa mais que haja a discutir nos corpos dos homens e mulheres, de uma maneira jamais feita por mais ninguém. Tudo isso nós vimos com nossos próprios olhos, e ele disse que dissecou mais de 30 corpos, de homens e mulheres de todas as idades. Também escreveu sobre a natureza da água, diversas máquinas e outros assuntos, que anotou num infinito número de volumes, tudo em língua vulgar, que se forem bem publicados serão proveitosos e muito agradáveis.

A língua vulgar era, claro, a comum ou popular, ou seja, o italiano, cuja eloqüência vocabular fora reconhecida desde que Dante Alighieri a celebrara 200 anos antes. Fluindo dos dedos de Leonardo, sua beleza lingüística às vezes chegava a alturas dificilmente menos poéticas que aquela que o outro grande florentino descrevera num comentário de 1307 sobre seus méritos literários, *De vulgari eloquentia.*

Há certos erros óbvios na descrição de de Beatis, mas fora isso ele ofereceu o que é geralmente aceito como uma imagem precisa de Leonardo naqueles anos finais. O retrato de "uma certa dama florentina feito ao vivo" não foi feito a pedido de Giuliano, mas era de fato a *Mona Lisa,* que o artista jamais deixara escapar de sua posse.* E Leonardo, apesar da aparência de idade mais avançada, tinha 65 anos na época da visita do cardeal.

A referência à "natureza da água" pode relacionar-se a qualquer uma da ampla variedade de meditações filosóficas registradas nos manuscritos, ou aos vários projetos de toda uma vida, como a construção de sistemas de canais, drenagem de pântanos e desvio de rios. Mas o que impressiona aqui é a atenção dada por de Beatis ao trabalho anatômico, muito provavelmente porque Leonardo o escolheu como de importância particular. De tudo que um homem de interesses tão diversos escolheria para mostrar a um visitante ilustre, não é de pequena importância que seus estudos do corpo humano fossem o principal.

É irônico que o porto seguro final de Leonardo estivesse destinado a ser um belo castelo a 30 quilômetros da úmida masmorra em que seu primeiro patrono, Ludovico Sforza, encerrara sua irrealizada vida em cativeiro quase uma década antes. Não se pode deixar de imaginar se, à medida que suas forças se esvaíam, o grande vinciano algum dia lamentou os grandes projetos deixados incompletos, a dispersão de seus múltiplos talentos em tantas direções, a falta de concentração num foco único de atividade, ou pelo menos em alguns muito poucos — se achava que também sua vida, como a de Ludovico, não se realizara. Se achava, não há menção disso em seus escritos.

Vasari descreve os meses finais de Leonardo, sem dúvida com detalhes que lhe foram dados quando visitou

---

* Kennetth Clark, praticamente o único entre as grandes autoridades, contesta isso e acredita que era um quadro posterior.

Melzi muitos anos depois, provavelmente em 1566: "Estando finalmente velho, ficou doente durante muitos meses. Quando se viu à beira da morte, fez todos os esforços para familiarizar-se com a doutrina do ritual católico." Apesar de sua crença em Deus e na existência da alma, era um ritual — e na verdade toda uma religião formalizada — do qual se mantivera em geral distante, "fazendo pouco caso das crenças dos outros, pondo a filosofia acima do cristianismo". Na véspera da Páscoa de 1519, Leonardo fez seu testamento, deixando todos os cadernos de apontamentos para Melzi e acertando missas a serem ditas em três diferentes igrejas, como uma dispersão final de sua herança, um ato simbólico da dispersão de seus talentos. Morreu a 2 de maio, depois de receber os sacramentos da Igreja da qual discordara em muitos dos textos religiosos sobre a história e o caráter do mundo natural.

Quanto à sua alma — só podemos imaginar para onde foi, mas temos as reflexões dele próprio a considerar. Leonardo acreditava que a alma depende do corpo para suas atividades. No desenvolvimento do embrião, escreveu, "o corpo no devido tempo desperta a alma que vai habitá-lo". E em outra nota: "Toda parte se destina a unir-se com seu todo, para escapar de suas imperfeições. A alma deseja habitar o corpo porque sem ele não pode nem agir nem sentir." Nesse modelo mecanicista, a alma não pode funcionar quando o corpo morre. Talvez também morra. Se isso é ou não verdade, nenhum de nós jamais saberá enquanto respirar.

VI

Os Manuscritos

Como tantos outros homens e mulheres, eu passei toda uma vida escrevinhando incontáveis anotações para mim mesmo, cada uma parecendo de grande importância quando escrita. Minha intenção sempre foi ou transpor depois a mensagem para um arquivo mais permanente ou usar o que fora registrado. Quase todo leitor deste livro sem dúvida fez esse tipo de coisa muitas vezes.

É igualmente provável que pelo menos parte das notas para nós mesmos tenha sido composta numa espécie de taquigrafia pessoal, ou mesmo em código, de fácil entendimento para o autor e para mais ninguém. O objetivo do aparente segredo não é confundir qualquer possível curioso, mas apenas registrar a informação o mais rápido possível. Quando não se perderam, minhas mensagens sempre foram recuperáveis, independentemente de tamanho ou obscuridade, embora pudessem exigir um pouco de tensão ocular ou de memória.

É assim que entendo a intenção de Leonardo da Vinci, nos aproximadamente 35 anos em que escrevinhou as mais de cinco mil páginas manuscritas de seus textos existentes, assim como as muitas sem dúvida perdidas. Começando em Milão, em algum ponto após seu 30º ano, iniciou um processo que equivaleu a pôr no papel uma longa série de notas para si mesmo, algumas das quais aleatórias e curtas, e algumas, estudos bem construídos de um ou outro problema de natureza artística, científica ou filosófica, em geral acompanhados de desenhos complexos ou simples. Na verdade, pareceria mais correto dizer que os desenhos — deixados em vários estágios de conclusão — são acompanhados de notas, uma vez que têm muito maior importância. Os tamanhos das páginas dos manuscritos variam de muito grandes, como a maioria, a até cerca de 8,5cm × 6,5 cm. Mais de metade do material está em folhas soltas, e o resto em cadernos de anotações de vários tipos. Para aumentar a bagunça, Leonardo às vezes usava folhas de papel dobradas que mais tarde separava e arranjava em páginas, de tal maneira que a justaposição original era confusa.

Quase sempre a observação está completa na página onde aparece, embora haja uns poucos casos, em volumes encadernados de páginas numeradas, em que se encontra a instrução "vire", e "esta é a continuação da página anterior". Não existe pontuação, acentuação, e há uma tendência a juntar várias palavras curtas numa só, comprida. Igualmente provável é a divisão pela metade de uma palavra longa. E de vez em quando encontramos palavras ou nomes próprios em que a ordem das letras é embaralhada, como por muita pressa. Algumas das letras e números são escritos segundo a ortografia às vezes incoerente de Leonardo, a princípio difíceis de decifrar até aprendermos a reconhecê-los, assim como algumas terminologias abreviadas. No geral, são idiossincrasias de tomador de notas pessoais.

E depois há a chamada escrita no espelho. Leonardo escrevia da direita para a esquerda, aumentando consideravelmente a dificuldade de transcrição dos manuscritos. Na certa era devido à escrita no espelho que ele às vezes virava as páginas dos cadernos de anotações na ordem inversa, de modo que se encontram trechos inteiros de trás para a frente. É provável que uma página de suas garatujas contenha uma discussão científica junto com uma anotação pessoal sobre fatos diários da casa, e talvez um desenho sem texto ou texto sem desenho, tudo junto, num arranjo completamente lúcido. Quando notas e desenhos aparentemente irrelevantes são postos numa determinada página, não raro se descobre, se cuidadosamente escrutinados por especialistas, que não são irrelevantes de modo algum, mas aplicáveis de forma direta ou indireta ao resto do material próximo.

Embora haja o volume que foi chamado, após a morte de Leonardo, de *Tratado de Pintura*, sua unidade é obra de um compilador desconhecido, que reuniu o que considerava serem as peças apropriadas numa ordem unificada. O códice *Do Vôo dos Pássaros* tem alguma coisa de completo, mas outros estudos sobre o vôo se espalham por outras páginas do artista. Em todos os manuscritos, não há uma única obra completa, como nós concebemos. O que Leonardo nos deixou é o equivalente a milhares daqueles pedaços de papel em que todos registramos mensagens urgentes para nós mesmos. Infelizmente, muitos deles se perderam.

Algumas das páginas de Leonardo não apenas nunca foram perdidas, como foram revisitadas continuamente. Ele podia retornar a uma página em especial, em intervalos que variavam entre semanas, meses ou até mesmo vários anos, no intuito de acrescentar desenhos ou notas à medida que ele aprendia mais sobre um determinado tópico. O mais notável a este respeito, para sua pesquisa anatômica, foi sua série de desenhos do plexo braquial, um complexo emaranhado de nervos ramificados e entrelaçados que suprem o braço desde sua origem na medula espinhal do pescoço. O primeiro e o último desenhos de Leonardo sobre a complexa corrente de fibras são separados por cerca de 20 anos.

Embora de leitura exigente, a escrita como vista num espelho é muito menos difícil do que se poderia supor. As pessoas canhotas em geral acham-na muito fácil, e talvez seja de fato mais natural para elas que a escrita padrão. A escola tira a tendência dos jovens canhotos, mas eles tornam a pegar a técnica com facilidade. Muitos destros também podem escrever da direita para a esquerda em letra legível. E há fortes, embora não seguros, indícios de que Leonardo era canhoto. Luca Pacioli referiu-se a essa característica do amigo em seus próprios textos, como o fez um homem chamado Saba de Castiglioni, em seu *Ricordi*, publicado em Bolonha em 1546. Também se observou que a direção na qual Leonardo costumava traçar suas linhas de sombreamento era a de uma pessoa naturalmente canhota, da esquerda para a direita e em diagonal para baixo.

Por todas essas considerações, pareceria que não há mistério nos motivos de Leonardo para escrever como o fazia. Quase certamente era canhoto ao tomar notas, escrevinhando-as o mais rápido que podia porque a mão não conseguia igualar a rapidez da mente. O que alguns julgaram ser um código parece ter sido apenas a garatuja pessoal de um homem cujas idiossincrasias estilísticas eram uma espécie de taquigrafia para possibilitar-lhe anotar coisas no papel o mais rápido possível. Há bastantes indícios, em vários de seus comentários, de que ele pretendia um dia montar grande parte desse material, que lhe teria sido tão acessível como se os houvesse escrito da maneira padrão, mesmo que não o fossem para mais ninguém.

Por mais convincente que seja o exposto acima, continua sendo possível que Leonardo de fato registrasse deliberadamente suas idéias de modo que ficassem indecifráveis para qualquer um que não estivesse tão decidido a compreendê-las a ponto de se dispor a dedicar longas horas ao processo. Vasari escreveu que ele foi herege, e mais filósofo que cristão; alguns devem tê-lo julgado cripto-ateu; não são poucas as suas idéias que em muito se distanciavam daquelas da Igreja. Ele foi o homem, como se lembrará, que escreveu, muito antes de Galileu ser acusado: "O sol não se move." E também aquele que via sinais em toda parte, fosse em forma de fósseis, formações rochosas ou nos movimentos da água, da grande idade da Terra e do caráter em constante mudança de suas formas geológicas e vivas. Só quando dos estudos de Charles Lyell, no início do século XIX, se tornaria a encontrar um estudioso que teorizasse com tanta clareza que as características da superfície da Terra resultam de processos que se realizam em períodos enormemente grandes de tempo geológico. "Como tudo", escreveu, "é muito mais antigo que as letras, não admira que em nossos dias não existam registros de como os mencionados mares se estenderam por tantos séculos; e se, além disso, tais registros algum dia existiram, as guerras, conflagrações, dilúvios das águas, mudanças de fala e de hábitos destruíram todo vestígio do passado. Mas nos basta o testemunho de coisas produzidas na água salgada e hoje de novo encontradas nas altas montanhas longe dos mares."

Leonardo descreveu esse testemunho em algumas de suas pinturas, especificamente na *Virgem dos Rochedos*, na

Sant'Ana e na *Mona Lisa*. No fundo de cada um desses quadros pode-se ver o mundo primevo como ele o imaginava antes de sua evolução (escolhi a palavra conscientemente — ele chegou perto de descrever a teoria da evolução) para sua forma moderna. Como um homem que mais de uma vez proclamou que tudo é parte de tudo o mais, certamente relacionou a geração do mundo com a geração dos seres humanos. Seu fascínio por uma era igual a seu fascínio pela outra.

Era a natureza imprevisível que ele via como a criadora das maravilhas sempre mutantes da Terra, e não hesitou em dizê-lo: "A natureza, sendo inconstante e divertindo-se em criar e produzir constantemente novas formas materiais, porque sabe que seus materiais terrestres são com isso aumentados, é mais pronta e rápida em criar do que o tempo em sua destruição." Não há aqui menção a Deus, nem, certamente, espaço para a história da Criação bíblica. Independentemente de minha convicção contrária, talvez considerações desse tipo devam entrar como fator em qualquer teoria que tente entender plenamente o motivo por que Leonardo preferiu escrever de forma tão inacessível. Não se pode subestimar os perigos da heresia facilmente descoberta naqueles tempos dominados pela Igreja, como sabemos muito bem pelo tratamento dispensado não apenas a Galileu, mas também a outros que ousaram questionar a doutrina.

Os apontamentos leonardianos foram dominados por um pequeno grupo de estudiosos com o passar dos séculos, pessoas cujos labores oferecem um registro precioso do pensamento do artista para o resto de nós ponderarmos. Mesmo as citações espalhadas que aparecem por todo este livro bastam para demonstrar o poder da linguagem vinciana. Aos títulos de pintor, arquiteto, engenheiro, cientista e todos os outros, deve-se acrescentar o de artesão literário. O que é mais notável em alguns dos altíssimos vôos de linguagem e contemplação é o fato de que parecem destinados apenas aos olhos do autor, apesar das considerações de heresia. O esteta, o observador do homem e da natureza, o filósofo moral que emerge das páginas do manuscrito fala das profundezas de sua mais funda emoção, como num constante fluxo de consciência que se estende por um período de mais de 30 anos. Aqui não há censor interno, só a voz cristalina da honestidade, convicção e — mais notável para sua época — uma curiosidade inovadoramente aberta.

Se Leonardo houvesse decidido registrar um volume dos princípios pelos quais viveu sua vida, ou um livro de aforismos pelos quais desejasse ser lembrado, ou um compêndio de suas interpretações do universo e sua relação com a humanidade — fosse qualquer dessas a sua intenção, não poderia tê-las realizado de maneira mais efetiva do que o fez no que pareceria uma miscelânea de idéias aleatórias espalhadas pelas páginas de folhas soltas e cadernos de anotações, em meio a desenhos, planos arquitetônicos, observações científicas, construções matemáticas, citações de outros autores e registros do cotidiano. Ele expõe ao mesmo tempo suas mais íntimas meditações e o franco impulso da mensagem que dedicou a vida a transmitir: que só se pode entender o ser humano voltando-se para a natureza; que se pode descobrir os segredos da natureza com a observação e a experimentação livres de preconceitos; que não há limites para as possibilidades da compreensão do homem; que há uma unidade entre todos os elementos do universo; que o estudo da *forma* é essencial, mas a chave para a compreensão está no estudo do *movimento* e da *função*; que a investigação de forças e energias levará à compreensão última da dinâmica da natureza; que o conhecimento científico deve ser redutível a princípios matematicamente demonstráveis; que a pergunta última a ser respondida sobre toda a vida e na verdade toda a natureza não é *como*, mas *por quê*.

"Que só se pode conhecer o ser humano voltando-se para a natureza." Trata-se de uma idéia muito mais abrangente do que parece à primeira vista. O pensamento de Leonardo está impregnado da antiga tese de que o homem é um microcosmo do grande macrocosmo que é o universo. Mas em seu pensamento isso não era um conceito espiritual, e sim mecanicista, governado pelas forças da natureza. Tudo surge de tudo o mais, e tudo se reflete em tudo o mais. A estrutura de nosso planeta é igual à estrutura do homem:

> O homem foi chamado pelos antigos de um mundo menor, e de fato o termo é corretamente aplicado, vendo-se que o homem é composto de terra, água, ar e fogo, esse corpo da Terra é o mesmo. E como o homem tem dentro de si ossos como sustentáculo e estrutura para a carne, também o mundo tem as rochas que são os sustentáculos da Terra; e como o homem tem dentro de si uma poça de sangue com a qual os pulmões quando ele respira se expandem e contraem, também o corpo da terra tem seu oceano, que também sobe e desce a cada seis horas com a respiração do mundo. Como da dita poça de sangue vêm as veias que espalham suas ramificações pelo corpo huma-

no, da mesma forma o oceano enche o corpo da Terra com um número infinito de veios d'água.

Alguns dos aforismos nos textos de Leonardo têm a altíssima qualidade, e mesmo o paralelismo, do versículo bíblico, e lembram os Provérbios, Salmos, o Eclesiastes. Eis o Leonardo que escreveu o famoso "A beleza perece na vida, não na arte", manifestando sua certeza de que a pintura é a mais alta forma de arte: "A sede resseca a língua, e o corpo se desgasta por falta de sono, antes que possamos descrever com palavras o que a pintura na mesma hora põe diante dos olhos."

E sobre sua idéia da imortalidade que criamos para nós mesmos pela maneira como vivemos nossas vidas e a herança de realização que deixamos para a posteridade: "Ó tu que dormes, que é o sono? O sono assemelha-se à morte. Oh, por que não deixar tua obra ser tal que após tua morte adquiras imortalidade; em vez de em vida transformar-te no infeliz morto pelo sono." E em outra parte, uma declaração corolária: "Evita aquele estudo cujo trabalho resultante morre com o trabalhador."

E isto, parecendo que veio inteiro das páginas de Provérbios: "Não busques a riqueza que se pode perder; a virtude é nossa verdadeira riqueza, e a verdadeira recompensa de seu possuidor. (...) Quanto à propriedade e à riqueza material, estas deves temer; todas as vezes deixam seu possuidor em ignomínia, escarnecido por ter perdido a posse delas." Todos esses pensamentos brotam do homem que alguns contemporâneos acusaram de ser "totalmente iletrado".

Claro, muitas das anotações estão longe de ser tão altivas. Havia listas de livros a ler ou adquirir; e registros das atividades mundanas envolvidas no cuidado de uma grande casa e na direção de um ateliê de artistas e artesãos; e cartas a vários patronos queixando-se da falta de pagamento. Assim, no volume de retalhos que veio a ser chamado de *Codex Atlanticus*, encontram-se estas palavras num fragmento de uma carta a ser enviada a Ludovico Sforza, durante o primeiro período em Milão: "Constrange-me enormemente que o fato de ter de ganhar a vida [aceitando encomendas de fora] me haja obrigado a interromper o prosseguimento da obra que Sua Senhoria me confiou; mas espero em breve tempo haver ganho o suficiente para poder acalmar meu espírito e satisfazer Vossa Excelência, a quem me recomendo; e se Sua Senhoria pensou que eu tinha dinheiro, Sua Senhoria foi enganado, pois eu tive seis bocas para alimentar por três anos com 50 ducados."

Jamais homem de esconder seus talentos com humildade, Leonardo não era avesso a louvar-se quando a ocasião o exigia, como nesta declaração de uma carta da mesma época, a um destinatário desconhecido: "Posso dizer-te que desta cidade só encontrarás obra improvisada e indigna, e mestres grosseiros: não há ninguém capaz, acredita-me, a não ser o florentino Leonardo, que está fazendo o cavalo de bronze para o Duque Francesco, e não precisa louvar-se, porque tem uma tarefa que lhe tomará toda a vida, e eu duvido que algum dia a acabe, porque é uma obra muito grande."

Muito de vez em quando, o leitor encontra uma declaração tão presciente que é necessário parar e ler de novo, e mais uma vez, para ter certeza de que a interpretou corretamente. Leonardo introduziu tantos conceitos novos que há uma tendência a creditar-lhe mais do que ele de fato merece, e deve-se ter cuidado para que não se faça interpretação exagerada de algumas de suas declarações. Mas ainda assim não se pode deixar de pensar que no seguinte trecho ele elucida a base de seus princípios evolucionários que em inúmeras outras páginas dos manuscritos sem dúvida expressa nas observações de formações geológicas, águas e fósseis. "A necessidade é a amante e professora da natureza", escreve. "É o tema e a inspiração da natureza, sua contenção e eterna reguladora." Essa necessidade é a de continuar vivo — a catalisadora do processo evolucionário.

De maneira idêntica, parece ter compreendido os princípios que iriam em séculos posteriores ser chamados de raciocínio indutivo, e o papel da experimentação na elucidação das leis gerais da natureza:

> Primeiro farei algumas experiências antes de ir mais adiante, porque minha intenção é consultar primeiro a experiência e depois, pelo raciocínio, mostrar por que tal experiência deve funcionar de tal forma. E essa é a verdadeira regra pela qual devem prosseguir os que analisam efeitos naturais; e embora a natureza comece com a causa e termine com a experiência, devemos seguir o rumo oposto, ou seja (como eu disse antes), começar com a experiência e por meio dela investigar a causa.

Essa maneira de proceder era inaudita no tempo de Leonardo. Era pensamento do século XVII numa época em que a grande massa de filósofos fazia exatamente o oposto, isto é, expunha teorias abrangentes para explicar suas experiências e observações. Passará bem mais de um século até que William Harvey, o descobridor da circulação do sangue, ponha numa breve frase o novo princípio que o "iletrado" Leonardo apresentara a partir de um virtual vácuo científico: "Conferimos com nossos olhos e fazemos a subida das coisas inferiores para as superiores."

A arca do tesouro dos manuscritos de Leonardo chegou aos dias de hoje por vários caminhos, desde sua proveniência original nas mãos do fiel Francesco Melzi. Os sentimentos deste pelo amigo e mentor são visíveis não apenas nas histórias dos contemporâneos, mas também numa carta, escrita por ele aos irmãos de Leonardo para informá-los da sua morte. "Para mim, ele foi o melhor dos pais", escreveu o jovem que deixara o próprio pai biológico para estar com Leonardo, "por cuja morte me seria impossível expressar a dor que senti. (...) É uma dor para qualquer um perder um tal homem, pois a natureza não pode de novo produzir um igual."

Depois que Leonardo foi enterrado no claustro da Igreja de São Florêncio em Amboise, leu-se seu testamento, em que ele dava a Melzi, de 26 anos, "em remuneração por serviços e favores a ele feitos no passado, cada um e todos os livros que o testador no momento possui, e os instrumentos e retratos pertencentes à sua arte e vocação de pintor".

Melzi logo retornou à vila de sua família em Vaprio, perto de Milão, onde se permitiu alguns visitantes favorecidos, mas só os que julgava qualificados, para ver os textos. Fez uma tentativa de organizar o material, conseguindo até o final da vida compilar um total de 344 capítulos curtos de seleções, mas mesmo esses continuaram confusos e jamais foram publicados. Em 1566, foi visitado por Vasari, que observou que certos trechos dos manuscritos relativos à pintura já haviam deixado a posse do velho. Tratando de "pintura e desenho em geral e de sua história da cor", e também contendo observações sobre anatomia e as proporções do corpo, dizia-se que essas páginas estavam em poder de um artista não identificado em Milão. É muito provável que sejam os manuscritos que compõem o livro depois conhecido como *Tratado de Pintura*, publicado pela primeira vez em Paris em 1651, e numa versão mais completa em 1817. Mas Melzi recusara ofertas por outros textos e insistia em mantê-los juntos. Quando morreu, em 1570, seu sobrinho e herdeiro, o advogado Orazio Melzi, sentiu-se em liberdade para dispor deles como julgasse melhor. Parece na verdade que o tutor dos filhos de Orazio ficou com alguns e outros foram dados. Uma parte dos manuscritos caiu nas mãos do escultor Pompeo Leoni, que estava a serviço de Felipe II de Espanha, a quem prometera dá-los. Levou-os de fato para a Espanha, mas Felipe morreu antes de Leoni poder cumprir sua intenção. Em vez disso, formou um único volume grande de partes extraídas de alguns deles, com cerca de 1.700 desenhos e esboços, um grande número deles soltos e sem relação com os outros. A esse volume de 1.222 páginas, na verdade um livro de recortes, deu o nome de *Codex Atlanticus*. Quanta coisa jogou fora, jamais se saberá. Quando Leoni morreu, em 1610, esse livro e mais alguns outros manuscritos foram para as mãos de seu herdeiro, Polidoro Calchi, que os vendeu ao Conde Galeazo Arconati em 1625. A essa altura, a existência dos textos leonardianos já se tornara bastante conhecida, sendo considerados extremamente valiosos. Em 1636, Arconati presenteou o *Codex Atlanticus* à Biblioteca Ambrosiana de Milão, junto com mais 11 volumes de Leonardo. Como a biblioteca recebera outro volume de seu fundador, o Cardeal Federico Borromeo, em 1603, agora possuía um total de 13. Alguns dos textos haviam caído nas mãos de outros donos, e entre eles estavam sem dúvidas alguns depois perdidos.

Quando Napoleão invadiu a Itália em 1796, reivindicou os manuscritos como espólio de guerra, resultando na transferência do *Codex Atlanticus* para a Bibliothéque Nationale e dos outros 12 volumes para a biblioteca de L'Institut de France em Paris. Cada um dos 12 foi cuidadosamente examinado e depois descrito, pela primeira vez, num texto de J. B. Venturi. Até hoje são conhecidos pela designação de letras feita por Venturi, começando com *A*. Após a derrota de Napoleão, o *Codex Atlanticus* foi devolvido à Biblioteca Ambrosiana, onde agora existe sob a forma de 12 volumes de manuscrito destacados do álbum de Leoni e propriamente reordenados. Os outros textos permanecem em Paris até hoje, com uma exceção: *Do Vôo dos Pássaros* foi separado e roubado em algum momento da primeira metade do século XIX, e por uma série de obscuras viagens o livro hoje reside na Biblioteca de Turim.

Outros manuscritos originalmente pertencentes a Melzi de algum modo chegaram à Inglaterra. Parecem fazer parte dos que foram deixados na Espanha por Pompeo Leoni. Em 1638, seu dono espanhol vendeu-os a Thomas Howard, conde de Arundel, que na época viajava pela Espanha. Ele os levou para a Inglaterra e parece tê-los presenteado a Carlos I. Como o *Codex de Arundel*, parte deles foi doada à Royal Society em 1681 e depois colocada no Museu Britânico em 1831. O resto, incluindo os desenhos anatômicos, foi enviado para a Biblioteca Real em Windsor, onde foram depositados numa grande arca trancada, junto com alguns desenhos de Hans Holbein, e não foram redescobertos por mais de um século. Várias das partes dos manuscritos na Inglaterra estão agora na Biblioteca Real de Windsor, no Museu Britânico, no Museu Victoria e Albert (onde formam a Coleção Forster), e até recentemente na Coleção Leicester no Holkham Hall. O Códice de Leicester é agora propriedade do bilionário da Microsoft, Bill Gates. Kenneth Keele avaliou que só um terço das notas originais de Leonardo existe hoje, ou pelo menos não se encontrou nenhuma das outras.

Mas há esperança, pelo menos em relação aos manuscritos um dia conhecidos e hoje julgados irrecuperavelmente perdidos. Ainda em 1965, dois cadernos de anotações que pareciam há muito perdidos foram reencontrados na Biblioteca Nacional da Espanha. O primeiro, hoje conhecido como Códice de Madri, trata de mecânica aplicada e teórica, e o segundo, Códice de Madri II, é uma miscelânea de notas sobre vários tópicos como pintura, fortificações, construção de canais, geometria e óptica.

As perdas começaram cedo, pois o material recebido por Melzi era apenas o que Leonardo levara consigo para a França. Sabe-se, na verdade, que parte significativa do trabalho anatômico foi deixada no Hospital de Santa Maria Nuova, em Florença, quando ele fez a mudança em 1516, e por conseguinte perdida. As perdas posteriores, só se pode imaginar. Por exemplo, disseram ao Duque de Ferrara em 1523 que entre as posses de Melzi se achavam *quelli libricini di Leonardo di Notomia*, mas *libricini* sugere que os estudos de anatomia encontravam-se em cadernetas de bolso, e nada do material no Castelo de Windsor é nessa forma.

Estudar e entender os manuscritos existentes é uma tarefa intelectual de proporções hercúleas. Leonardo parece às vezes ter vivido sob a compulsão de registrar tudo que sabia, ou pelo menos todo problema que o interessou. Mesmo que os estudiosos tivessem a oportunidade de olhar os textos em sua forma intocada, eles ainda apresentariam um quebra-cabeça de observações, conjeturas e pensamentos não relacionados, sem qualquer tentativa de ordem e com pouca separação entre categorias ou períodos de tempo. Mas em vista dos cortes e colagens, por exemplo, do *Codex Atlanticus*, e a salada que se fez de alguns dos outros originais já confusos, para não falar da ausência de material de ligação que podia existir em alguns dos cadernos de anotações e folhas hoje perdidos — o resultado é uma espécie de pandemônio científico. Felizmente para a posteridade, o desafio serviu para estimular várias gerações de estudiosos de Leonardo, sobretudo em nosso tempo. Eles e, através do seu trabalho, nós fomos recompensados com a vitória de conhecermos, mesmo que ainda de maneira incompleta, a mente talvez mais diversamente expansiva que este mundo já viu, e sem dúvida a mais absorvente.

VII

A ANATOMIA: "COISAS RELATIVAS AOS OLHOS"

QUANDO ENCONTRADO PELA última vez na Inglaterra, um grupo de manuscritos leonardianos que lá chegara no século XVII fora depositado em segurança numa arca trancada. Mas as arcas trancadas costumam desaparecer, ou pelo menos ser esquecidas, quando o dono é decapitado e um novo regime entra em vigor. Foi precisamente o que aconteceu em conseqüência da Guerra Civil Inglesa e seu resultado. Numa certa data, provavelmente em 1778, a arca foi redescoberta por acaso no Castelo de Windsor pelo bibliotecário do rei, Robert Dalton, que não fazia idéia do que ela continha nem de onde estaria a chave. Ao arrombar a misteriosa caixa, Dalton ficou pasmo ao descobrir o que havia dentro. Deve ter reconhecido de pronto o valor do conteúdo, pois naquela época a lenda dos estudos anatômicos de Leonardo havia muito se achava largamente disseminada por toda a Europa, embora até então não se tivesse localizado a maioria dos indícios factuais em parte alguma. A lenda se apoiara nos desenhos e notas incluídos no *Tratado de Pintura*, e no amplamente veiculado rumor de que havia muito mais, só faltava encontrar.

Em 1784, o principal anatomista da Inglaterra, William Hunter, pediu permissão para estudar a coleção, pois soubera que incluía 799 desenhos (só 600 restam hoje, tendo sido os outros inexplicavelmente perdidos), cerca de 200 dos quais eram as estruturas do corpo humano. Ficou perplexo quando viu:

> Eu esperava ver pouco mais que os desenhos de anatomia que pudessem ser úteis para um pintor em sua profissão. Mas vi, e na verdade com espanto, que Leonardo fora um estudioso geral e profundo. Quando penso no trabalho que ele desenvolveu sobre cada parte do corpo, na superioridade de seu gênio universal, sua particular excelência em mecânica e hidráulica, e na atenção com que um tal homem examinava e via objetos que ia desenhar, estou plenamente convencido de que Leonardo foi o melhor anatomista daquela época no mundo.

Por mais ardoroso que seja, o elogio de Hunter é moderado. Antes de Andreas Vesalius publicar seu magnífico tratado *De humani corporis fabrica*, em 1543, não houve obra que sequer se aproximasse da de Leonardo em precisão e detalhe anatômico. Credita-se corretamente a Vesalius o fato de ter trazido o estudo do corpo humano à sua primeira forma moderna, mas Leonardo já o fizera antes — embora poucos, além dele próprio, soubessem disso. Fazer desenhos diretamente de um cadáver era uma empresa jamais efetuada na época em que ele a concebeu. Na verdade, os médicos da época encaravam os desenhos como desvios do texto, usando-os apenas para apoiar construções teóricas que o aluno devia aprender lendo. O fato de professores de medicina continuarem durante séculos a opor-se às imagens é mostrado por um comentário numa resenha da primeira edição de *Anatomia Descritiva e Cirúrgica* (*Anatomia de Gray*) no *Boston Medical and Surgical Journal* de julho de 1859: "É deixar o aluno ter ilustrações gerais, que ele certamente as usará às custas do texto." Condenando o uso liberal por Gray de desenhos detalhados, o resenhista consubstanciava seu argumento apontando textos contemporâneos que chamava de "dois dos mais bem-sucedidos livros de anatomia já publicados, que tiveram várias edições, e nenhum deles tem uma única ilustração". O resenhista era o professor de anatomia de Harvard, Oliver Wendell Holmes, e a publicação em que escrevia, a predecessora do *New England Journal of Medicine.*

Nem mesmo o grande Vesalius conseguiu sequer chegar perto do muito mais grandioso Leonardo na compreensão da mecânica do corpo, da maneira como as várias estruturas executam suas várias funções, e na clareza de sua aparência nas ilustrações que adornavam os textos. Como as da arca do Castelo de Windsor, algumas das descobertas de Leonardo numa infinidade de áreas tiveram de esperar muitos anos, e às vezes séculos, para serem redescobertas.

Também levaria muitos anos — até a metade do século XX, na verdade — para que fosse possível uma completa elucidação da magnitude do feito anatômico e fisiológico de Leonardo, ou mesmo da profundeza de seu conhecimento. Para ele, a forma humana era um corpo em movimento, cada um desses movimentos e atividades, externos e internos, seguindo os princípios da mecânica, e portanto acessível à investigação objetiva. Como era admirável um tal conceito, pode-se apreciar pensando-se que durante séculos após essa época, muitos cientistas — talvez a maioria — continuaram a invocar fatores sobrenaturais para preencher os buracos em seu conhecimento e explicar fenômenos que não haviam elucidado plenamente em estudos experimentais. Para os cientistas dessa crença, alguns fenômenos permaneceriam para sempre inexplicados pela pesquisa, porque pertenciam ao domínio do espiritual. Negar a influência desses fatores ia além da heresia; era blasfêmia.

Mas mesmo uma palavra como *admirável* empobrece qualquer discussão da magnitude do passo à frente que representaram as investigações de Leonardo, em relação ao que existia quando ele pegou pela primeira vez o bisturi de dissecação. Desde o segundo século da era cristã, não apenas a anatomia, mas toda a medicina era dominada pelos textos de Galeno, um médico grego que trabalhou basicamente em Roma, e que codificara de modo tão imperial seus conceitos do corpo humano na saúde e na doença que eles se tornaram a fonte a partir da qual todos os teóricos começavam suas especulações. Questionar o magistral Galeno era questionar toda a estrutura da medicina como então entendida, e ninguém ousara ainda tentar o que teria sido universalmente encarado como um revoltante afastamento da ortodoxia. Na mente de todos os médicos medievais e renascentistas, a autoridade das doutrinas de Galeno equivalia à autoridade da doutrina da Igreja. Quer escrevessem em grego ou no árabe através do qual todos os textos clássicos eram transmitidos até o início do Renascimento, os autores médicos da época não passavam de redatores e expositores das obras de Galeno, com ocasionais mesuras a Aristóteles, quando os dois de algum modo discordavam.

As formulações de Galeno, no equivalente a 22 volumes *in octavo* de material em letra miúda, baseavam-se na dissecação de animais e especulações teóricas imbuídas da convicção de que um supremo artesão criara e guia as atividades de todas as estruturas da natureza. Suas doutrinas não se baseavam no conhecimento detalhado da estrutura humana, mas antes em algumas teorias abrangentes e fantasiosas de função, ou fisiologia. Para Galeno e os médicos que memorizaram sem pensar os seus *dictums* por quase um milênio e meio, a doença era um processo generalizado mediado por desequilíbrios dos quatro humores — sangue, bílis negra, bílis amarela e fleuma — em combinação com as quatro qualidades — quente, frio, seco e molhado. Num tal sistema especulativo, não havia virtude em conhecer os detalhes da estrutura de um órgão nem as sutilezas de suas ações, uma vez que o esquema de Galeno oferecia todo o necessário para praticar a arte da medicina. Os poucos desenhos dos textos médicos eram mais simbólicos que realmente anatômicos, primitivos nas grosseiras aproximações da realidade. Não era necessário que fosse de outro modo, sobretudo quando o único uso que se pretendia fazer deles era facilitar a compreensão da idéia humoral da doença. Na verdade, antes de Leonardo, ninguém julgara importante desenhar com fidelidade qualquer estrutura mais a fundo que a mais superficial camada muscular da parede abdominal.

O texto anatômico prescrito usado em todas as universidades italianas em fins do século XV era a *Anathomia* de Mondino di Luzzi, que fora professor em Bolonha, e cujas idéias de anatomia e doença eram mais influenciadas pelos intérpretes árabes de Galeno. Desses, o mais destacado eram Avicenna (Abu Ali al-Hussein ibn Abdalla ibn Sina, o nome completo em árabe), cujo *Cânone* saíra no início do século XI, e o médico cordobês Albucasis (Abu'l-

Qasim), cujo *Meliki* foi publicado cerca de 50 anos depois. Escrita em 1316, a *Anathomia* era um volume *in octavo* de apenas 40 páginas. Incluía instruções para dissecação, pois Mondino fora um dos poucos professores da época que se sabia ter aberto pessoalmente cadáveres, mesmo que apenas para dar uma rápida olhada dentro. Cópias manuscritas achavam-se amplamente divulgadas por toda a Europa até 1478, quando se publicou a primeira edição impressa do livro. Entre aquele ano e 1580, 33 edições foram publicadas (a palavra *edição* era na época usada para uma reimpressão ou uma verdadeira nova versão), incluindo as encadernadas em sete edições de um livro de ampla circulação chamado *Fasciculus medicinae*, escrito por um autor de identidade incerta conhecido como Johannes de Ketham. O *Fasciculus*, originalmente publicado em 1491, era uma série de textos sobre venissecação e cirurgia, contendo as primeiras gravuras em madeira aparecidas em qualquer texto médico. A edição crucial da *Anathomia* para Leonardo parece ter sido a publicada em italiano em 1494. Ele se refere (não de maneira elogiosa) ao livro de Mondino em seus manuscritos, e pode ter sido o meio pelo qual se instruiu nas primeiras abordagens da dissecação. A nomenclatura que usa é tão parecida à da *Anathomia* que pouca dúvida pode haver de sua influência sobre ele.

Embora a *Anathomia* ofereça algumas descrições superficiais dos órgãos do corpo, muito de seu texto se baseia em interpretações árabes de Galeno. Leonardo refere-se a outros livros, mas nenhum deles vai além do teor medieval da obra de Mondino. A *Anathomia* não contém ilustrações, mas um desenho padrão, amplamente divulgado na época, que existia havia quase um século, e ao qual profes-

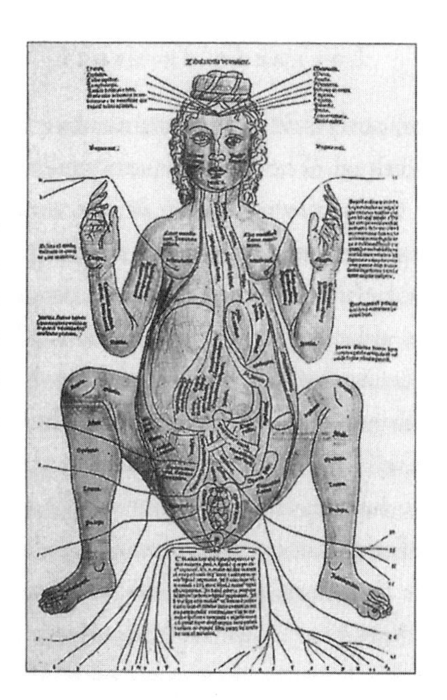

Anatomia da mulher, conforme retratada no *Fasciculus Medicinae.*

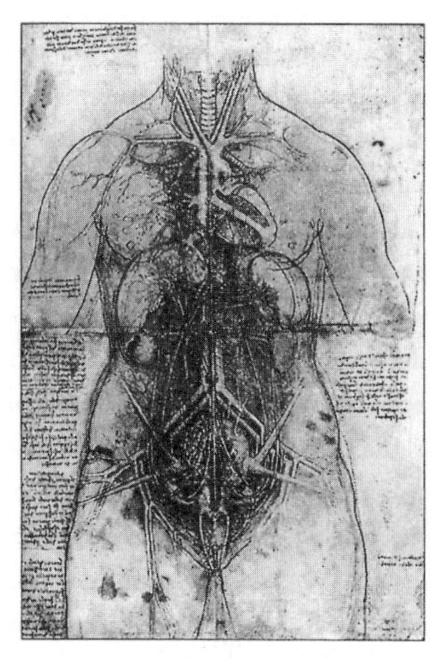

Anatomia da mulher de Leonardo.

sores e alunos costumavam recorrer. Esta, a primeira figura impressa da anatomia dos órgãos internos, era usada no *Fasciculus medicinae*, ao qual estava ligada a *Anathomia* de Mondino. É o desenho com o qual a descrição das mesmas estruturas feita por Leonardo — desenhadas na época em que pintava a *Mona Lisa* — deve ser comparada para se ter uma idéia da distância a que ele foi levado pelo salto de sua inspiração. Só se pode imaginar que pensamentos devem ter-lhe passado pela mente ao olhar a sua realização ao lado do conhecimento herdado da época. Quaisquer que tenham sido, guardou-os para si mesmo. Em claro contraste com o costume da época, em nenhuma parte de seus textos ele compara suas descobertas com as de qualquer antecessor.

E como se recebia, de fato, esse conhecimento herdado? Para isso, temos o testemunho de Andreas Vesalius, que, três décadas após a morte de Leonardo, descreveu o método de ensino como então se fazia nas universidades da Europa. Durante pelo menos um século, a dissecação do corpo humano fizera parte da educação de todos os médicos formalmente treinados, com o consentimento da Igreja. Em 1543, Vesalius incluiu no prefácio de *De humani corporis fabrica* a seguinte cena de uma típica demonstração anatômica por um típico professor. Esses exercícios eram realizados uma ou duas vezes por ano para cumprir uma exigência do currículo, com o objetivo básico de mostrar a verdade das afirmações de Galeno. Representavam a única experiência dos alunos com um cadáver. Para Vesalius, todo o processo era

> Uma detestável cerimônia em que se usam algumas pessoas [cirurgiões empregados para esse fim] para realizar uma

dissecação do corpo humano, enquanto outras [o professor ou seu assistente] narram a história das partes; estas últimas, de um elevado púlpito e com egrégia arrogância, cantam como gralhas sobre coisas das quais não têm nenhuma experiência, mas antes guardam na memória, dos livros de outros [textos galênicos ou árabes], ou põem o que foi descrito diante dos olhos deles; e as primeiras são tão despreparadas na linguagem que não têm condições de descrever para os espectadores o que dissecaram.

Como era diferente da visão vinciana uma cena dessas. A palavra *visão* é escolhida deliberadamente, porque é a visão direta que diferencia os estudos de Leonardo dos de todos que se enquadravam na classificação de galênicos. Para responder à sua perene questão do *por quê*, ele primeiro tinha de entender *como*, o que exigia uma meticulosa atenção a detalhes anatômicos precisos como jamais antes haviam sequer sido considerados por qualquer antecessor. Ver claramente, interpretar objetivamente — essas eram as chaves para solucionar os enigmas da natureza. O seu olho era de artista, mas também a curiosidade era de cientista, e de cientista a visão de que só reduzindo um fenômeno a seus elementos componentes se pode entendê-lo plenamente. E só se pode até mesmo começar a elucidar a função conhecendo-se os minuciosos detalhes de sua estrutura.

Muito antes de Galeno se apropriar dos textos deles para servir a seus próprios fins, os médicos hipocráticos dos séculos IV e III a.C. sabiam disso. Suas observações de pessoas doentes eram tão detalhadas, e as descrições por escrito tão precisas, que podiam ser verificadas por qualquer pessoa que se desse ao trabalho de olhar com o devido cuidado. Mas como Hipócrates e seus seguidores jamais estudaram anatomia, não havia tradição de aplicar o mesmo olho inquiridor aos órgãos internos do corpo, como se havia feito com os sinais e sintomas externos dos pacientes. Quando Galeno entrou em cena, meio milênio depois, baseou-se em dissecações de animais e na visão especulativa ao procurar elucidar anatomia e função, quando deveria estar olhando atentamente cada órgão e movimento. E então, após um lapso de tantos séculos, apareceu Leonardo, um homem que mais uma vez reconheceria que a chave para compreender a natureza — e sobretudo a natureza de seus irmãos humanos — é primeiro vê-la com uma visão tão perceptiva que não deixe escapar nenhum detalhe.

Mas não bastava apenas ver. O que se via tinha de ser registrado, não apenas para preservar o recém-adquirido conhecimento, mas estudá-lo demoradamente, sobretudo naquela época em que não havia como impedir que as estruturas dissecadas entrassem em decomposição em poucos dias, ou mesmo horas, após o momento em que eram examinadas. Para Leonardo, não bastava, nem mesmo era recomendado, que se fizesse o registro com palavras, pois só uma imagem pode transmitir a realidade do que se escrutinou.

> Oh, Escritor! Que palavras usareis para descrever toda a configuração com a perfeição que dá a ilustração neste caso? Isto, não tendo o conhecimento, descreveis de modo confuso e dareis pouca informação da verdadeira forma das coisas, enganando-vos com a crença de que podeis satisfazer o leitor falando da configuração de qualquer objeto corpóreo limitado por superfícies. Mas lembro-vos que

não vos envolvais com palavras, a menos que estejais falando para cegos, ou se, no entanto, desejardes demonstrar com palavras para os ouvidos e não para os olhos dos homens, falai de coisas substanciais ou naturais, e não vos metais com coisas relativas aos olhos fazendo-as entrar pelos ouvidos, pois sereis de longe ultrapassado pela obra do pintor. Com quais palavras descrevereis o coração sem encher um livro, e quanto mais extensa e minuciosamente escreverdes, mais confundireis a mente do leitor.

Leonardo foi mais que fiel à sua palavra — foi fiel à sua imagem. O texto que acompanha os desenhos em seus estudos anatômicos está longe de ser secundário aos próprios desenhos, como reconsiderações ou acréscimos. Consistem em comentários explicativos, sugestões a si mesmo para outras possíveis ilustrações, e exposições de problemas que exigem mais estudo. Na verdade, os manuscritos anatômicos são basicamente coleções de desenhos. Os vários desenhos acham-se em vários estados de conclusão, que vão do superficial ao elaboradamente realizado, com toda gradação possível no meio.

E são apresentados de uma forma revigorantemente nova. Leonardo não se satisfazia em apenas mostrar a aparência de uma estrutura vista de frente. Desenhava-a também de várias outras perspectivas: de trás, de lado, de baixo, do alto e em perspectiva — o que parecesse necessário para tornar clara uma natureza tridimensional. Como já foi dito antes, introduziu o método do corte seccional, dividindo uma perna, por exemplo, no meio da panturrilha e mostrando as pontas abertas, a fim de demonstrar os músculos naquele nível. Para isso, dissecava um órgão ou membro várias vezes, usando espécimes separados, para que nenhum detalhe de sua anatomia lhe escapasse. Às vezes mostrava as profundezas da parte de um corpo em camadas superpostas, como uma transparência; às vezes mostrava as profundezas omitindo as camadas mais superficiais. Para desenhar vasos sangüíneos, removia todos os tecidos em volta, a fim de torná-los visíveis isoladamente.

Não foram essas as únicas inovações. Os ossos eram serrados, para demonstrar sua estrutura interna; o abdômen e as vísceras torácicas eram desenhadas por trás, mostrando sua aparência quando removidos os músculos das costas; injetava cera nos espaços vazios dentro dos órgãos, como os ventrículos do coração e do cérebro, oferecendo moldes precisos de suas formas. Ao dissecar o olho, um órgão notoriamente difícil de cortar, Leonardo teve a idéia de primeiro mergulhá-lo em clara de ovo e depois ferver o todo, de modo a criar um firme coágulo antes de cortá-lo nos tecidos. Técnicas semelhantes de incrustação são rotineiramente empregadas hoje, para possibilitar fatiar estruturas frágeis.

A intenção era sempre não apenas mostrar cada parte do corpo como de fato é, mas demonstrar como funciona na atividade de todo o organismo. Nesse esquema, as relações tridimensionais entre várias estruturas assumem imensa importância, assim como o arranjo geométrico das partes, de modo a demonstrar o alinhamento das forças que Leonardo reconhecia como importantes para todo movimento. Para estudar essas forças, usava fios de cobre em substituição a músculos individuais no esqueleto, ligando-os, por exemplo, às pontas de origem e inserção dos bíceps, para que ficassem evidentes as linhas de contração e relaxamento.

Se as palavras *jamais feito antes* aparecessem tantas vezes quanto se justificam na enumeração das conquistas anatômicas de Leonardo da Vinci, os leitores logo ficariam cansados delas e cépticos quanto à sua verdade — e no entanto, não há outra maneira de dizê-lo, nem pode ser suficientemente reiterado. Repetidas vezes, Leonardo foi o primeiro. Que perda incalculável, portanto, que ninguém soubesse o que ele fizera, que tudo tivesse de ser repetido décadas ou séculos depois. O mundo da ciência teve de esperar por Andreas Vesalius para revolucionar o estudo do corpo humano, mas apenas porque o maior anatomista que já viveu só confiou em si mesmo e nuns poucos outros, que jamais compreenderam plenamente a dimensão de suas descobertas.

Quando empreendeu os estudos de anatomia, Leonardo o fez como faria um pintor, para melhorar sua compreensão da forma e expressão, para pintar "o homem e a intenção de sua alma", como disse. Mas sua insaciável curiosidade o venceu. Aos poucos, foi ficando intrigado com o que aprendia, e com quanto mais havia a aprender. Foi caindo sob o fascínio com que o corpo humano tem encantado as testemunhas de suas maravilhas desde que algum esquecido homem primitivo ficou paralisado pela primeira vez diante do abdômen ou peito rasgado de um inimigo agonizante, vendo os movimentos finais das coisas vivas lá dentro. Na verdade, era o movimento, mais ainda que a mera estrutura, que Leonardo ansiava por conhecer, e em breve partia na última — e, em última análise, inacabada — viagem para a sua compreensão.

Leonardo estava bem equipado para essa jornada, e sabia o que precisava para empreendê-la. Depois de advertir qualquer dissecador em perspectiva (com o que se referia a si mesmo) sobre os horrores que se deve superar para trabalhar com cadáveres (ver páginas 33-34), passava a descrever as habilidades exigidas para a tarefa:

> E se isso não vos detiver, talvez vos falte a arte do desenhista, que é essencial para tais demonstrações, e se tiverdes o talento do desenho, talvez não venha acompanhado pelo conhecimento da perspectiva, e mesmo que venha, podem faltar-vos os métodos da demonstração geométrica, e o método de calcular as forças e a resistência dos músculos; ou talvez vos falte paciência, de modo que não estareis vos esforçando. Se eu tinha ou não tudo isso, os 120 livros compostos por mim darão ao leitor o veredicto, sim ou não. Nisto, não fui impelido nem por avareza nem por negligência, mas apenas pelo tempo. Adeus.

Embora o autor destas palavras jamais escrevesse os planejados 120 livros, há outros indícios de que pretendia um dia publicar um tratado sobre o corpo humano, provavelmente com esse número de capítulos. Nisso não era "impelido nem por avareza nem por negligência, mas apenas pelo tempo".

Leonardo possuía todas as qualidades que julgava necessárias para alguém que quisesse estudar o corpo humano. Cada uma delas era essencial se se queria retratar a vida como realmente existe, a forma como realmente parece, e a ação como realmente ocorre. Observou que a perspectiva é "uma função do olho", e decidiu descobrir tanto sobre esse órgão e seu relacionamento com o comportamento humano quanto pudesse. E havia mais um motivo para estudar o olho, um motivo prenhe do conceito leonardiano de como se aborda o estudo de tudo no universo: o conhecimento do olho é o ponto de embarque de onde se viaja para o conhecimento da vida. Para ser entendida, uma coisa precisa primeiro ser vista como realmente é.

Entre as primeiras pesquisas de Leonardo, estavam os estudos da anatomia do olho e do cérebro a que ele envia suas mensagens, estudos de óptica e das propriedades da luz. A princípio, sua única intenção era explicar como a distância e a luz afetam a aparência de um objeto, mas logo iniciou uma investigação da anatomia e fisiologia do olho. Nessa época, achava-se que a visão era percebida dentro da lente, mas ele conseguiu convencer-se de que ver resulta de fato da luz focalizando-se na retina.

Fora isso, porém, os estudos do olho feitos por Leonardo não foram particularmente bem-sucedidos, muito provavelmente porque essas pesquisas ocorreram tão cedo em sua carreira como anatomista que ele não as fez com a mesma competência que aplicaria às experiências posteriores. Em vista do que então se conhecia, algumas de suas conjeturas ainda assim não parecem despropositadas. Por exemplo, quando desenhou o caminho da luz, obviamente precisava explicar por que as pessoas não vêem tudo de cabeça para baixo. Sua solução para esse enigma foi postular que ocorre uma dupla inversão, a primeira na pupila e a segunda na lente, resultando numa imagem em pé. Embora depois descartasse essa formulação, jamais descobriu o motivo para as imagens em pé — mas quem esperaria que se pudesse descobrir isso por volta da virada do século XVI? Ele reconheceu que a área de distinta acuidade visual deve ser um ponto bem pequeno (que mais tarde se demonstrou ser a mácula), mas localizou-a erroneamente na ponta do nervo óptico, outro erro que merece menção apenas à luz da extraordinária qualidade de alguns dos seus saltos de percepção.

Embora muitas observações e desenhos anatômicos apareçam no *Tratado de Pintura*, os estudos mais científicos do corpo feitos por Leonardo parecem só ter-se iniciado por volta de 1487, durante sua estada em Milão. As primeiras imagens são basicamente descritivas; o objetivo era elucidar a forma e a perspectiva. Produto desse período foi um grupo de desenhos muito bonitos do crânio, um dos quais traz a data de 2 de abril de 1489, o primeiro de tais apontamentos. Vários outros desenhos mais ou menos dessa época mostram o crânio seccionado em vários ângulos, para demonstrar os sinus, a órbita ocular e a abertura pela qual passa o nervo óptico. De maneira típica, o texto de acompanhamento é pobre. O famoso desenho do coito (ver página 152), com todos os seus erros, também data desse período, provavelmente 1493.

As anotações e desenhos de Leonardo oferecem indícios de leitura do que quase com certeza eram traduções para o italiano pelo menos de Mondino e Avicenna, e talvez vários outros dos redatores de Galeno. Os erros que ele comete nessas primeiras tentativas de anatomia trazem a marca da influência deles, e também das dissecações feitas por ele em animais como rãs, cães, porcos, vacas, cavalos e macacos, pois só trabalhara até então com pouco material humano. O'Malley e Saunders acreditam que as únicas partes de cadáveres a que teve acesso no período em Milão foram uma cabeça e talvez uma coxa e perna. Mas estas e o trabalho com animais já eram suficientes para lhe ter permitido introduzir o uso da anatomia de corte seccional. E também foram suficientes para que os erros que cometia como novato não o impedissem de realizar consideráveis avanços em relação a praticamente tudo que viera antes.

A partir de 1496, Leonardo colheu cada vez mais o proveito de sua íntima amizade com o matemático Luca Pacioli, que, como será lembrado, chegara a Milão naquele ano. Em conseqüência, na década seguinte ele parece ter aos poucos ampliado a tendência a ver o corpo humano em termos de sua mecânica e mesmo sua geometria. Começou a voltar a atenção menos para considerações artísticas e mais na direção de tentar explicar os processos fisiológicos com os quais o corpo opera suas funções. Em 1505, aos 53 anos, estava bem avançado no estudo detalhado da dinâmica da fisiologia humana como elucidada pela anatomia. Se se dividissem suas investigações após essa época em categorias, seriam cinco: os músculos e ossos, os órgãos abdominais, o coração, o sistema nervoso e o feto em desenvolvimento no útero.

Na verdade, as investigações do sistema nervoso estavam em andamento já no período de Milão, estimuladas, por assim dizer, pelo fascínio de Leonardo pelas origens do movimento. Embora ainda muito influenciado por autores como Avicenna e Mondino, ele remontou os nervos periferais dos músculos às suas origens na medula. Não obstante, começou então seu longo conhecimento com o plexo braquial, que iria levar a uma bem-sucedida conclusão uns 20 anos depois, dissecando essa estrutura no corpo do velho de cujas artérias esclerosadas fez tão argutas observações. Em algum momento após 1505, observou que a ação de um músculo é acompanhada de uma ação recíproca, ou oposta, de outro músculo próximo, um fenômeno fisiológico que só seria reconhecido no início do século XX, quando foi descrito pelo neurofisiologista ganhador do Prêmio Nobel Sir Charles Sherrington. Embora Leonardo o ilustrasse com o desenho das estruturas em torno da junta do quadril, está claro que avaliou sua natureza generalizada.

Na categoria dos nervos periferais, Leonardo também observou que a laceração de uma extremidade — a mão, por exemplo — pode resultar em perda de sensação ou movimento, e às vezes dos dois. Embora não o pusesse nesses termos, claramente descobrira que alguns nervos são sensórios, alguns motores, e alguns as duas coisas. Era em essência a redescoberta de uma observação originalmente feita por alguns médicos alexandrinos no século IV a.C. e conhecida de Galeno, mas em geral não apreciada.

Já se falou nos estudos do cérebro. Como alguns dos antigos, Leonardo estava convencido de que a alma — uma idéia em que acreditava firmemente — se localiza no cérebro. Era um daqueles vestígios inevitáveis de uma visão do mundo herdada, dos quais nem mesmo uma mente aberta como a dele podia libertar-se. Mas também via o cérebro de uma forma bastante moderna, como sendo o centro de comando último de todas as atividades do corpo, contínuo com os nervos que chegam a toda a periferia. Para designar o lugar onde acreditava que todos os sentidos se encontravam, usou o gasto termo *sensorium commune*, a inventada localização onde desde o quarto século da era cristã se dizia residir a sede do julgamento. Tendo-lhe suas convicções convencido — erroneamente e sob a influência da leitura — que os nervos levam direta ou indiretamente a uma das cavidades do cérebro chamadas ventrículos, que ele demonstrara com a injeção de cera, organizou todo esse conceito num único pacote, cuja ação muscular podia ser descrita por uma analogia:

> Os tendões, com seus músculos, servem aos nervos como os soldados servem a seus chefes; e os nervos servem ao *sensorium commune* como os chefes a seus capitães; e o *sensorium commune* serve à alma como o capitão ao seu senhor. Assim, por conseguinte, a articulação dos ossos obedece ao tendão, e o tendão ao músculo, e o músculo ao nervo, e o nervo ao *sensorium commune*, e o *sensorium commune* é a sede da alma, e a memória seu monitor, e a faculdade de receber impressões serve como seu padrão de referência.

Também sabia que certas ações das extremidades e outras partes se dão sem a intervenção da consciência. Precisou explicar o que chamava "como os nervos às vezes trabalham sem o comando da alma", e fez isso invocando uma certa autonomia que os "chefes" desenvolvem quando se acostumaram a dirigir os "soldados" para realizar uma atividade, sem precisar das ordens do "capitão".

> O oficial que em mais de uma ocasião executou a missão que lhe foi dada pela boca do seu senhor fará então ele próprio uma coisa que não vem da vontade do senhor. Assim, muitas vezes vemos como os dedos, depois de haverem com a máxima docilidade aprendido coisas num instrumento, uma vez que são ordenados pelo julgamento, passam então a tocar sem o acompanhamento do julgamento.

Embora Leonardo fale aqui das muitas ações voluntárias que automaticamente e sem pensar realizamos em resultado de treinamento, suas observações também se referem a todos os tipos de atos reflexos, condicionados ou inatos. Ao descrever o fenômeno do reflexo, também descreveu o arco reflexo sensório-motor, incluindo o fato de que se centra na medula, sem intervenção de um centro superior, ou "capitão".

E assim, mesmo no meio de interpretações errôneas baseadas nos velhos teóricos da medicina e no papel universalmente aceito da alma ou espírito em todas as coisas, Leonardo conseguiu fazer observações e produzir conceitos séculos à frente do pensamento contemporâneo. Na outra das quatro categorias que investigou, ficou muito mais livre das restrições herdadas pelos pensadores de seu tempo, como veremos no próximo capítulo.

VIII

A Anatomia: Coisas do Coração e Outras Coisas

"Que é o homem, que é a vida, que é a saúde?" — estas foram as perguntas que Leonardo se fez. São os temas que percorrem toda a sua investigação do corpo humano, seja nos primeiros estágios, como demonstrado no *Tratado de Pintura*, seja nos estudos definitivos iniciados em torno de 1487, e que atingiram o ponto mais alto de precisão no período entre 1508 e 1515. E sempre o caminho que levava à solução do problema era sua preocupação com o movimento.

Ao estabelecer o plano para a grande obra de anatomia que se propunha, Leonardo escreveu: "Ordena-a de modo que o livro dos elementos de mecânica anteceda a demonstração de movimento e força no Homem e outros animais, e por meio deles poderás testar todas as proposições." Com isto em mente, concebeu os ossos dos braços e pernas como alavancas, e os músculos como os meios pelos quais se aplicava a força a eles. Seus cadernos de anotações estão cheios de desenhos baseados nesse princípio, que serviu de base a grande parte de sua extensa obra nos dois campos que os anatomistas modernos chamam de miologia e osteologia. Em todas as investigações, seu objetivo, implícito nos textos, é compreender e mesmo entrar na mente da natureza de modo tão completo que lhe permita ser o intérprete entre a natureza e a arte. Talvez o grande segredo de Leonardo seja exatamente este: podemos hoje saber muito mais sobre o comportamento da natureza que ele, mas Leonardo conhecia a mente da natureza como jamais conheceremos.

O músculo que mais fascinou Leonardo era um que Galeno negara ser sequer um músculo: o coração. Para o antigo monarca grego da medicina, o comportamento do coração era tão distinto que o órgão só podia ser composto de um tipo especial de tecido exclusivo dele. Durante 13 séculos, essa proposição permaneceu inquestionada, até Leonardo não apenas discordar, mas observar que esse músculo, como todos os outros, depende de ativação e vasos sangüíneos para executar sua função. "O coração é um vaso feito de grosso músculo, vivificado e alimentado por artéria e veia como os outros músculos", escreveu, e passou a dissecar as artérias coronárias, desenhando-as quando saem da base da aorta, o grande tubo que sobe do ventrículo esquerdo do coração. Identificou não apenas as artérias coronárias, mas também as três pequenas protuberâncias, ou bolsas externas, na origem da aorta, uma pouco acima de cada um dos três folíolos, ou cúspides, da válvula que a separa do ventrículo esquerdo. Duzentos anos depois, esse trio de pequenas protuberâncias receberia o nome de sinus de Valsalva, nome do anatomista italiano que os "descobriu" no início do século XVIII.

Outra das verdades de Galeno que Leonardo descartou foi o papel do coração na produção do que desde tempos pré-hipocráticos era chamado de calor inato ou animal do corpo. Achava-se que sua fonte era uma espécie de energia espiritual originada no ventrículo esquerdo. Para a mente mecanicista de Leonardo, essa explicação não material não se sustentava, e no entanto a idéia de calor inato era uma daquelas crenças da época além da qual ele de algum modo não podia passar. Concordando com as doutrinas contemporâneas de que o calor existe, e que vem de dentro do coração, apesar disso se afastou do dogma galênico ao afirmar que o calor se deve ao atrito do sangue ao passar pelas válvulas e câmaras dos órgãos. Em apoio a essa proposição, observou que o coração bate mais rápido quando o paciente tem febre. Pondo, de maneira atípica, o carro na frente dos bois, afirmou que o maior número de contrações deve obviamente aumentar o movimento e o atrito, com isso explicando a elevada temperatura do corpo. Hoje sabemos que o calor do corpo resulta da energia produzida pelos milhares de trilhões de reações químicas que se dão dentro de nós a cada instante de nossas vidas (regulado por um centro de temperatura no cérebro), mas Leonardo não podia ter concebido essa possibilidade, sobretudo quando os rudimentos do que se passava por química eram naquele tempo pouco mais que as experiências dos alquimistas. Alguns progressos tecnológicos ainda estavam tão longe no futuro que nem mesmo o maior alcance da imaginação humana — a imaginação de Leonardo da Vinci — poderia concebê-los.

As discordâncias de Leonardo quanto às formulações galênicas transmitidas por Avicenna e Mondino dificilmente acabavam com as questões do calor e da musculatura. As velhas autoridades ensinavam que o coração consiste em dois ventrículos para os quais o sangue retorna do corpo e dos pulmões, respectivamente. Achava-se que esses ventrículos eram encimados por dois apêndices em forma de orelha que recebiam qualquer excesso do sangue e inalavam o ar que se dizia contido no sistema. Leonardo observou que o coração não tem uma, mas duas câmaras: um ventrículo direito e um esquerdo, e um atrium (que ele chamava de ventrículo superior) direito e um esquerdo acima deles, que são câmaras receptoras do sangue que retorna. Também demonstrou os músculos papilares, estruturas em forma de tiras dentro dos ventrículos inferiores, das quais finos fios chamados *chordae tendinae* (também descoberta sua) se estendem para os folíolos das válvulas acima e contribuem para o controle do movimento delas. Depois de descobrir os aurículos (ou atria, como são chamados hoje), disse que a contração deles manda o sangue para os ventrículos embaixo, o que na maior parte está correto. Mas também acreditava que o ventrículo por sua vez joga o sangue de volta para cima antes de fechar-se, e a profusão resultante de correntes aquece o líquido circulante antes de ser distribuído para o corpo pelas artérias e veias.

Ao considerar o destino dessa distribuição, Leonardo aceitou a doutrina galênica de que o sangue chegava à periferia por artérias e veias, e uma vez lá, era consumido pelos tecidos para sua alimentação, necessitando de certo reabastecimento. Assim, ainda de algum modo homem de seu tempo, deixou escapar inteiramente o conceito de circulação que seria exposto por William Harvey em 1628.

Uma das mais conhecidas observações no cânone vinciano se refere à contração dos ventrículos. Era costume na Toscana matar porcos amarrando-os de costas a uma tábua e depois enfiando um instrumento tipo broca na parede do peito e no coração, para que sangrassem rapidamente até a morte. Como só morriam após um certo número de batimentos cardíacos, Leonardo valeu-se da oportunidade para estudar os sinais externos do movimento dos ventrículos. Anotando cuidadosamente os movimentos metronômicos do cabo da broca, concluiu com acerto que o ventrículo se encolhe durante a contração, como se esperaria de um músculo. Não apenas não há registro de que isso algum dia antes houvesse sido detectado, mas Leonardo também pôde convencer-se de que a pulsação simultaneamente sentida nas artérias é gerada por essa mesma contração ventricular, uma associação não feita por seus contemporâneos. Reconheceu que a pulsação, a contração dos ventrículos, o impacto da ponta do coração na parede do peito e a ejeção de sangue na aorta são fatos simultâneos, uma compreensão muito além das doutrinas da época, que não viam relação entre eles. É interessante notar que o método de estudar o movimento cardíaco enfiando uma sonda de metal na parede do peito foi reinventado no final do século XIX, e usado como instrumento de pesquisa notavelmente preciso por vários eminentes cardiologistas ingleses e alemães.

De todas as intuições de Leonardo na anatomia e fisiologia do coração, duas são francamente espantosas. A primeira tem a ver com a função dos sinus de Valsalva. Até pelo menos a primeira parte do século XX, todos os pesquisadores do coração supunham que a válvula entre o coração e a aorta (a válvula aórtica) funciona passivamente, como a de uma bomba d'água padrão: quando o coração se contrai, empurra o sangue para fora e força a válvula a abrir-se, a fim de ejetá-lo para a aorta acima; quando a pressão da contração diminui, a válvula é forçada a fecharse pelo peso da coluna de sangue na aorta, pressionando para baixo. Essa parecia uma explicação perfeitamente direta da hidráulica do sistema, com a virtude extra da simplicidade, um traço há muito tido como característico da arte da natureza.

Mas em 1912 foi demonstrado que a dinâmica não é tão simples quanto se pensava. Na verdade, mostrou-se que o processo de fechamento da válvula é um pouco mais gradual do que poderia explicar uma mudança abrupta nas relações de pressão que resultam no fechamento. E foram necessárias mais algumas décadas para que a tecnologia investigativa alcançasse um estado tão avançado que os detalhes pudessem ser satisfatoriamente explorados e realmente visualizados. Na década de 1960, os métodos de tingir e cardiográficos haviam sido suficientemente desenvolvidos para tornar possível estudar os padrões de fluxo com extrema precisão. Demonstrou-se que parte do sangue ejetado na aorta circula para dentro das três bolsas protuberantes que estão na sua origem (os sinus de Valsalva) e forma correntes de refluxo que exercem pressão na superfície superior da válvula, fazendo-a começar a fechar-se mesmo antes de o ventrículo concluir sua contração. Não se podia saber disso sem os novos métodos de pesquisa.

Pelo menos, era o que se pensava. Leonardo da Vinci mostrou a mesma coisa na primeira década do século XVI. Ele iniciou suas experiências criando um modelo de vidro da aorta, com os sinus de Valsalva e também uma válvula tirada de um boi ou porco. O modelo foi inserido em cima de um coração de boi cheio d'água, para reconstruir a situação anatômica como existe no homem. Leonardo descreve o engenhoso método que usou, sem as técnicas de raios X que só existiriam quase 450 anos depois. "Que a água que bate lá tenha painço ou fragmentos de papiro misturados, para que se possa ver melhor o curso da água por seus movimentos." Tanto o texto quanto as ilustrações mostram claramente o mecanismo correto de abertura e fechamento dos três folíolos que compõem a válvula aórtica, incluindo o fato de que a iniciação do fechamento se deve a correntes de refluxo originados nos sinus de Valsalva. Ele demonstrou repetidas vezes que o fechamento é gradual. As observações de Leonardo são idênticas às que seriam feitas por grupos de pesquisadores numa série de estudos iniciados em 1969, e ele extraiu as mesmas conclusões — tudo pela observação de pedacinhos de semente ou papel circulando na corrente d'água. De todos os espantos que Leonardo deixou para a posteridade, este pareceria o mais extraordinário. E não é diminuído pelo fato de que ele realizou essas experiências quando tinha mais de 60 anos.

A segunda intuição espantosa é mais uma questão de sentimento que de experiência. Depois de dissecar o corpo do homem muito velho que morrera de repente, Leonardo passou a refletir, como já se observou, sobre as artérias obstruídas e tortuosas que encontrou no cadáver. Essas descobertas foram sobretudo impressionantes quando comparadas com os vasos lisos e amplos da criança de dois anos que ele dissecou mais ou menos na mesma época. Fez-se a pergunta: "Por que os vasos nos velhos adquirem grande comprimento e os que eram retos se tornam tortos, e o revestimento se torna tão grosso que fecha e detém o movimento do sangue, e disso resulta a morte dos velhos?" Sua resposta é presciente, como tantas vezes: a parede do vaso engrossa, sugeriu, em conseqüência da absorção de excesso de alimentos do sangue — e isso numa época em que a idéia de colesterol e toda a panóplia de males associados aos excessos da dieta ocidental padrão ainda não fora sequer pensada. Só na segunda metade do século XX os pesquisadores começaram a concentrar-se nas causas da arteriosclerose, e a descobrir que Leonardo entendera certo 450 anos atrás.

Não podemos saber se a declaração de Leonardo de que o coração se situa a meio caminho entre o cérebro e os testículos pretendia ter algum tipo de conotação filosófica. Mas *é* certo que ele meditou muito tempo, com empenho e muitas vezes, sobre a questão de saber se o batimento cardíaco é automático ou exige a ativação do nervo, talvez o vago que dissecou até as ligações cardíacas de sua origem no cérebro. A certa altura, disse do coração: "Isso bate por si mesmo e jamais pára, a não ser para sempre", mas numa época posterior parece ter reconsiderado, inserindo um memorando para dizer a si próprio que devia estudar se o estímulo chega através de um nervo. Embora não solucionasse o problema, não surpreende que sua solução continuasse a escapar aos pesquisadores durante séculos. Só na década de 1890 uma série de experiências de investigadores ingleses ofereceu prova definitiva do que naquela época veio a ser chamado de teoria miogênica, que afirma que o batimento cardíaco é instigado por um mecanismo inerente dentro do próprio órgão.

As investigações do coração realizadas por Leonardo foram na maior parte feitas no período entre 1508 e 1515, mas seus estudos dos ossos e músculos ocuparam-no por todo o tempo em que eram escritos os cadernos de anotações. Aparecem no *Tratado de Pintura* e nos manuscritos do Castelo de Windsor. Mais que qualquer outra de suas pesquisas, as ilustrações dessas estruturas demonstram o método que ele usava em todas as suas tentativas de compreender o corpo e seus movimentos. Como já se observou antes, seu objetivo era não apenas desenhar cada parte de várias perspectivas, mas descrevê-la suficientemente livre de tecido em redor para que ela pudesse ser vista isoladamente. Em outras visões, deixava apenas o suficiente do material adjacente para permitir a apreciação de relações. Em todos os casos, repetia as dissecações tantas vezes quantas fossem necessárias para fazer desenhos que oferecessem uma plena compreensão da anatomia e função de uma estrutura. Como os cadáveres e a oportunidade de dissecá-los não eram sempre tão abundantes quanto ele pudesse desejar, era limitado pelo que havia. Como era obviamente mais fácil obter um braço ou perna isolados que um corpo inteiro, pôde cumprir seus critérios quando estudava as extremidades muito melhor que qualquer outra região. No trecho seguinte, responde preventivamente a algum incrédulo que talvez preferisse ver uma dissecação de fato que olhar os desenhos. Ao lê-lo, deve-se lembrar a descrição de Vesalius de como tais procedimentos eram feitos nas universidades da época:

> E se disserdes que é melhor ver fazer uma Anatomia do que ver estes desenhos, falaríeis com razão se fosse possível ver tudo que é mostrado em tais desenhos num único livro, em que, com todo o vosso gênio, não vereis e não tereis conhecimento, a menos que seja de umas poucas veias. Em relação a ter um verdadeiro conhecimento deles, eu [já] dissequei mais de dez corpos humanos, destruin-

do todas as partes, consumindo mesmo até as mais diminutas partículas a carne que cercava essas veias, sem fazê-las sangrar, a não ser um insignificante sangramento das veias capilares.* E um único corpo não bastou para tanto tempo, de modo que foi necessário prosseguir com quantos corpos, um atrás do outro, foram necessários para completar todo o conhecimento; que eu repetia duas vezes para observar as variações.

Claro, para um homem tão determinado a elucidar os princípios mecânicos envolvidos no funcionamento do corpo humano, não poderia haver área mais produtiva de investigação que os ossos e músculos. Baseando seu método no princípio da alavanca, Leonardo estudou os movimentos do corpo como são determinados pela necessidade de manutenção do equilíbrio em torno de seu centro. Analisou as mudanças de equilíbrio que ocorrem em várias formas de locomoção e em repouso em diferentes posições, e tentou determinar as linhas de força envolvidas na mudança de estabilidade. Observou que a ação dos grupos de músculos que agem reciprocamente com grupos antagônicos eram um fator importante na manutenção da postura. À medida que se aprofundavam seus interesses científicos, sobretudo depois de 1508, concentrou-se nos mecanismos do movimento de membros individuais e suas partes.

Para isso, uma página ou páginas de manuscrito podem mostrar um desenho de um osso, seguido por outro

* Sendo microscópicos, os vasos que hoje chamamos de capilares eram desconhecidos na época. Leonardo foi o primeiro autor a usar a palavra, para referir-se a vasos tão pequenos que não podem ser vistos a olho nu.

do mesmo osso revestido por um ou mais músculos, e talvez em sua relação com uma junta para a qual contribui. Um tendão é então mostrado cortado de modo a demonstrar o que tem por trás, outros músculos podem ser acrescentados e a extremidade mover-se em qualquer de suas várias ações, e as linhas de força traçadas. A estrutura é vista de diferentes ângulos e fazendo diferentes coisas. O texto que acompanha é mínimo e às vezes nem existe. Para Leonardo, a imagem conta a história.

Ele ficou particularmente intrigado com o movimento pelo qual a mão se põe em supinação e pronação — volta a palma para cima e para baixo. Para sua surpresa, descobriu que o bíceps não apenas curva o cotovelo, como ajuda a virar a palma para cima girando o alto do menor dos dois ossos do antebraço, o rádio. Observou que o antebraço se encurta quando a palma é virada para baixo, porque o rádio e o cúbito se cruzam. Durante o estudo da mão, foi o primeiro a mostrar seus ossos com precisão, comparando-os com os do macaco e as asas de morcegos e pássaros. Seu interesse por anatomia comparativa também é visível em desenhos que mostram correspondências entre os membros inferiores de seres humanos e as patas do cavalo e do urso. Outros pioneirismos no estudo do esqueleto foram a demonstração da dupla curvatura da espinha, a inclinação do pélvis e o número correto de vértebras. Além disso, Leonardo inventou o que hoje se chama "visão explodida", em que partes de uma junta, como a do ombro por exemplo, são desenhadas separadas umas das outras, a fim de demonstrar sua relação.

Por mais inovadores que fossem os estudos do coração e do sistema músculo-esqueletal desenvolvidos por

Leonardo, ele foi muito menos exato como comentarista do aparelho digestivo, embora na verdade fosse o primeiro observador a descrever os intestinos grosso e delgado na relação apropriada um com o outro. Injetando cera derretida nos vasos, pôde fazer desenhos extremamente precisos das artérias do fígado, passagens de bílis, baço e estômago, além de algumas das veias dessas estruturas. Parece ter tido um interesse particular por esfíncteres, ou *portinarii* (porteiros), como os chamava, principalmente o esfíncter anal. Decidido a elucidar o intrigante mecanismo de contração anal, identificou cinco músculos em torno da abertura, que acreditava trabalharem em concerto para fechar o canal e estufar a pele em volta. Embora estivesse errado no número de músculos e sua dinâmica, seu conceito básico era correto, numa época em que ninguém mais sequer pensara em atacar um problema tão obscuro. De qualquer modo, não ficou mais longe do alvo que vários anatomistas até perto de meados do século XX.

Como o respeito pela vida não lhe permitia vivissecar animais — era na verdade vegetariano, pelo mesmo motivo —, Leonardo jamais observou a peristalse, e parece não ter tido conhecimento de sua existência. (Há uma exceção. Ele fez uma experiência em que desmedulou uma rã para estudar sua reação a estímulos quando privada das estruturas neurológicas na cabeça.) Em vista de sua fascinação pelo movimento, sem dúvida muito teria a dizer sobre as ondulações pelas quais o intestino propele sua carga em processo seqüencial, para a absorção dos nutrientes que contém, até a eventual expulsão do resíduo inútil. Incapaz de explicar a passagem do alimento na digestão para o trato intestinal, atribuiu-a à força propulsora do gás intestinal e à ação dos músculos abdominais e do diafragma. Embora soubesse das camadas de músculos na parede do intestino, achava que o propósito deles era impedir o rompimento quando a pressão do gás se tornava alta. Para explicar por que o material não volta para cima em vez de continuar seu caminho para o reto, invocou as curvas, torções e viradas do intestino pequeno e grande, funcionando como válvulas para impedir o fluxo inverso. Em sua defesa, deve-se observar que os tecidos intestinais mortos de um cadáver tendem a putrefazer-se com particular rapidez, e esse talvez tenha sido o motivo pelo qual ele não pôde estudá-los com sua habitual meticulosidade. Mesmo o grande vinciano deve ter tido um limiar para a "repugnância natural" sobre a qual advertiu os candidatos a dissecadores.

Mas descreveu com precisão o ato de engolir e a passagem da comida ao contornar a traquéia e entrar no esôfago. E fez uma outra observação que não fora feita por nenhum de seus antecessores: sabia da existência do apêndice, e desenhou-o com toda a clareza. Não surpreendentemente, para um órgão cuja razão de existir ainda continua sendo em grande parte um mistério, estava errado sobre sua função, conjeturando que é uma espécie de *cul-de-sac*, capaz de expandir-se para aliviar a pressão do gás dentro do cólon.

Quanto a mistérios, não houve nenhum maior nem mais obcecante, naquele século antes do início da revolução científica, que o da concepção e parto. Sobretudo para um homem que parece ter suprimido ou reprimido qualquer manifestação aberta de sua sexualidade — um homem cuja vida pode muito bem ser explicada como uma contínua busca da mãe idealizada em cujo amor se refestelara quando pequeno —, sobretudo para um homem desses, a curiosidade sobre cada fase da reprodução, da concupiscência ao berço, deve ter sido um poderoso fator de motivação.

Abertamente, Leonardo proclamava repugnância pelo que encarava até mesmo como a idéia do coito, usando precisamente a linguagem ambivalente que se esperaria de alguém com a sexualidade sufocada: "O ato de procriação e os membros para isso empregados são tão repulsivos que, não fosse pela beleza dos rostos, o adorno dos atores e o impulso represado, a natureza perderia a espécie humana." E no entanto, mesmo assim era atraído para o que aparentemente achava tão repelente. Expressava seus impulsos reprimidos de uma forma que um psicólogo moderno não hesitaria em chamar de sublimação. No caso do famoso "desenho do coito", essa expressão consciente de consumada sexualidade é, segundo Kenneth Clark, tão extrema que "mostra o estranho distanciamento com que ele encarava esse momento central da vida do homem comum". Muitos concordariam, mas outros poderiam encontrar alguma coisa nesse desenho, tão distante da sublimação que chega a ser lascivo, e até mesmo um pouco reminiscente daqueles desenhos que os ginasianos fazem circular com risinhos e sub-repticiamente pela sala de aula. É exatamente esse tipo de contradição que impede qualquer análise de Leonardo da Vinci, incluindo a minha, de atingir os limites da convicção total. Por mais que pareça convincente a evidência dessa ou daquela hipótese, há sempre um pouco de alguma outra que obstrui o caminho da certeza.

Durante seu período de colaboração com Marcantonio della Torre, Leonardo escreveu que a grande obra que planejava sobre anatomia conteria uma abrangente descrição de cada fase do processo de geração.

> Essa obra pode começar com a concepção do homem, e descrever a natureza do útero e como o feto vive nele, até em que estágio ali reside, e de que modo salta para a vida e se alimenta. Também seu crescimento e o intervalo que existe entre um estágio de crescimento e outro. O que o obriga a sair do corpo da mãe, e por que motivo às vezes deixa o útero da mãe antes do tempo. Depois descreverei quais são os membros que, depois de o menino nascer, crescem mais que os outros, e determinam a proporção do menino de um ano. Depois descreverei o homem e a mulher plenamente crescidos, com suas proporções, e a natureza de suas peles, cor e fisionomia. Depois como são compostos de veias, tendões, músculos e ossos. (...) E três [desenhos em perspectiva] haverá para a mulher, em que há muito de misterioso em razão do útero e do feto.

Isso é mais que um plano — é um manifesto. Em sua ousada declaração, pode-se reconhecer o desígnio de todo o estudo de Leonardo do "que é o homem, o que é a vida, o que é a saúde". E também em sua ousada declaração se podem reconhecer alguns problemas com que os pesquisadores da reprodução ainda hoje se debatem, o mais escorregadio dos quais é "o que o força a sair do corpo da mãe". Mas mesmo antes de declarar seu objetivo último, Leonardo já começara de várias formas a exploração, como sabemos pelo *Tratado de Pintura* e outros textos anteriores.

Uma delas é expressa naquela ilustração que veio a ser conhecida como o desenho do coito, e vários outros desenhos a ele associados. Na época em que o total de quatro páginas manuscritas surgiram, Leonardo ainda se achava muito sob a influência dos antigos teóricos de Aristóteles

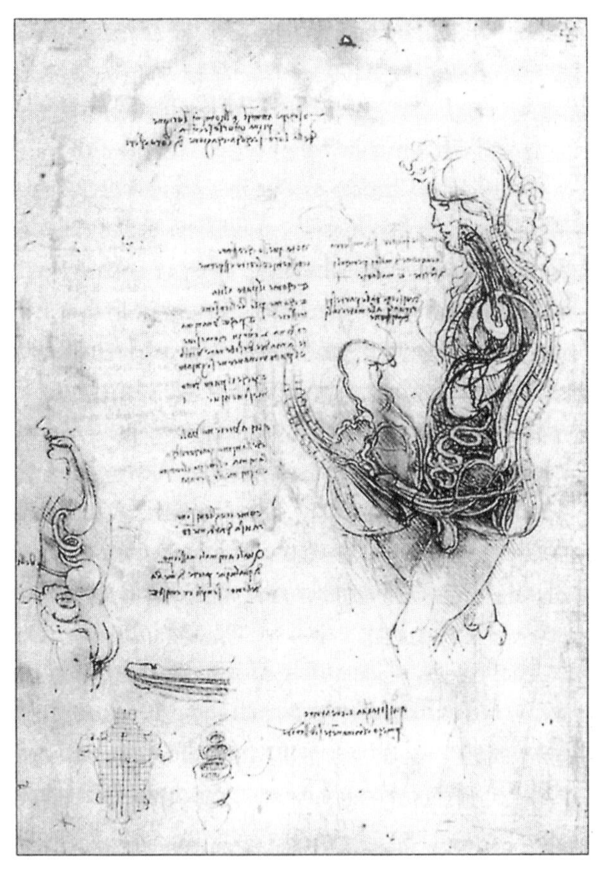

O desenho do coito

e sobretudo Galeno, como foram transmitidos por Avicenna e Mondino. Na verdade, muito do quadro é consistente com as formulações expressas em *Timeu*, de Platão. Os muitos erros de concepção (trocadilho inevitável) que se encontram nas representações pictóricas são remontáveis a essas fontes. Kenneth Keele diz do desenho do coito: "Este, um dos mais conhecidos desenhos de Leonardo, é também um de seus piores em termos de anatomia."

O próprio desenho provavelmente data aproximadamente de 1497, e foi portanto feito antes de Leonardo embarcar nos estudos detalhados que iriam caracterizar seu trabalho posterior. É uma visão lateral do interior dos corpos de um casal no ato da união sexual, o pênis do homem nos primeiros esboços penetrando tão longe na parceira que entra no útero, embora apenas pressione a cerviz na última versão. Dois canais passam pelo órgão túmido, um para a urina e outro ligado a uma fonte na medula, de acordo com a crença contemporânea (e antiga) de que o esperma é produzido ali e no sangue. A última origem é demonstrada na imagem por um vaso que passa do coração diretamente para o testículo. O útero parece ser segmentado, de acordo com a formulação grega de que tinha sete câmaras, uma idéia que Leonardo mais tarde reconheceu como falsa. Um traço muito observado por historiadores da embriologia é a descrição de um vaso sangüíneo que liga o útero ao mamilo. Naquele momento inicial de seus estudos, Leonardo ainda aceitava a velha doutrina de que o sangue menstrual retido, não sendo descarregado durante a gravidez e o período de amamentação, sobe e se torna o leite com que o feto se alimenta.

Em contraste com a teoria contemporânea que atribuiu a ereção do pênis à pressão do ar dentro do corpo do órgão, Leonardo sabia que não era assim, com base em suas observações de homens enforcados e raciocinando sobre a cor da cabeça do pênis quando excitado: "Do membro viril quando duro, é grosso e comprido, denso e pesado, e quando mole, é fino, curto e macio — isto é, mole e fraco. Isso não deve ser julgado como devido ao acréscimo de carne ou vento, mas ao sangue arterial. (...) E mais uma vez observa-se que um pênis rígido tem uma cabeça rubra, o que é um sinal de abundância de sangue, e quando não está rígido, tem uma aparência esbranquiçada." A capacidade do órgão ereto de penetrar vencendo resistência, ele acreditava, se devia à sua posição contra o osso púbico do homem. Assim: "Se esse osso não existisse, o pênis, ao encontrar resistência, viraria para trás e muitas vezes penetraria mais no corpo do operador que no da operada."

As observações do pênis feitas por Leonardo têm interesse não menos por seus comentários sobre seu desejo de expô-lo à visão pública, o que parece em acentuado contraste com a repulsa expressa na explosão citada acima:

> Sobre o pênis: conferencia com a inteligência humana e às vezes tem inteligência própria, e embora a vontade do homem deseje estimulá-lo, ele continua obstinado e segue seu próprio curso, e movendo-se às vezes por si mesmo, sem licença ou pensamento do homem, esteja ele dormindo ou acordado, faz o que deseja. Muitas vezes o homem está dormindo e ele acordado, e muitas vezes o homem está acordado e ele dormindo. Muitas vezes o homem deseja que ele pratique e ele não deseja; muitas vezes ele deseja e o homem o proíbe. Parece, portanto, que essa criatura muitas vezes tem uma vida e inteligência separadas do

homem, e parece que o homem se engana ao envergonhar-se de dar-lhe um nome ou exibi-lo, buscando antes, constantemente, cobrir ou ocultar o que devia adornar e exibir com cerimônia como alguém que serve.

Em outras palavras, a atitude adequada para com o pênis é de orgulho. É difícil fugir à conclusão de que a repulsa se reserva aos órgãos genitais da mulher, o que dificilmente surpreende, em vista de tudo o que se supôs sobre a sexualidade de Leonardo. Mas as coisas jamais são simples assim, sobretudo quando se tenta entender a vida interior de um indivíduo tão complexo. Aqui, deve-se mais uma vez chamar a atenção para a observação de Pater sobre a ambivalência de Leonardo, expressa em sua arte como a "interfusão de extremos de beleza e terror", e a maneira como "o fascínio da corrupção introduz em cada toque a sua beleza delicadamente acabada". Não houve maior expressão de ambivalência — dos extremos de atração e repulsa — do que o intenso impulso vinciano para estudar anatomia e reprodução, sobretudo nas condições da época.

Em contraste com a crueza do desenho que caracteriza a figura do coito, a descrição muito posterior feita por Leonardo de um feto de cinco meses no útero é uma coisa bela, ou, como um famoso historiador de arte de Oxford definiu, "um milagre de intensa apresentação". Permanece como uma obra-prima de arte e, considerando-se o muito pouco que se entendia de embriologia na época, uma obra-prima também de percepção científica. Foi uma extraordinária capacidade de dissecar, observar e interpretar que possibilitou a essa mente extraordinária perceber que não há comunicação direta entre os vasos sangüíneos da mãe e da placenta do feto. Que surpresa deve ter sido para William Hunter quando em 1784 olhou no manuscrito que por 150 anos ficara escondido naquela arca trancada e viu-se fitando os desenhos que mostravam precisamente a anatomia vascular da placenta, que ele estava então em processo de provar para sempre com suas experiências. E que choque deve ter sido perceber que fora antecedido em quase três séculos por um artista "iletrado" que não passara um dia em treinamento médico.

Além de sua educação formal e o benefício das descobertas feitas ao longo dos anos desde então, Hunter teve outra grande vantagem sobre da Vinci, ou seja, a fácil disponibilidade de corpos humanos para estudar. Embora, lá pelo fim da vida, Leonardo quase certamente dissecasse um feto, a maior parte de sua compreensão da embriologia deriva de dissecações em vacas, carneiros e bois. Apesar disso, demonstra uma boa compreensão das membranas que cercam o feto em desenvolvimento, tendo introduzido a técnica de mostrar sua natureza com desenhos nos quais essas membranas são removidas em sucessivas camadas.

Numa época em que a maioria das autoridades acreditava que todas as características herdadas vinham do pai, enquanto alguns achavam que vinham da mãe (e os dois lados se inclinavam a acreditar que todo indivíduo existe pré-formado na semente de um ou outro dos pais), Leonardo declarou inequivocamente: "A semente da mãe tem uma influência no embrião igual à do pai." Em apoio à sua afirmação de que os testículos e os ovários têm uma função semelhante e dão contribuições idênticas ao rebento, demonstrou que eles têm um suprimento semelhante de sangue. Afastou-se tanto da aceitação inicial da formulação

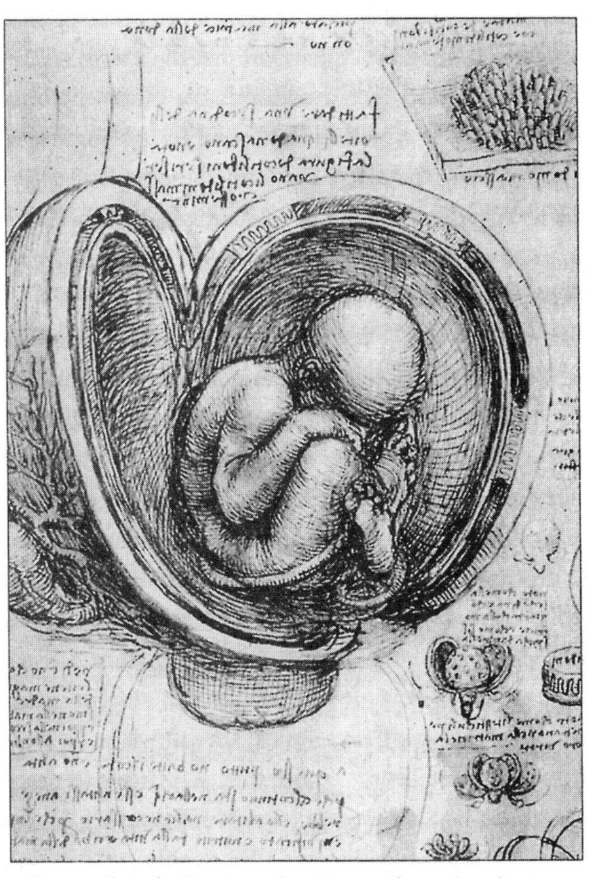

Desenho de Leonardo de um feto de cinco meses no útero.

grega da origem espinal das células do esperma que em anos posteriores declarou sua convicção correta de que o esperma criado nos testículos passa para uma área de armazenamento chamada de vesícula seminal, onde fica até ser necessário para a ejaculação; também mostrou como os dutos que levam a ejacular entram na uretra. Outra idéia que descartou foi a das sete câmaras do útero, pois suas dissecações haviam provado que só há uma.

Leonardo não se satisfez em fazer apenas observações qualitativas do feto animal em desenvolvimento. Como sempre, fez medições quando pôde, determinando o ritmo de crescimento do rebento não apenas no útero, mas também após o parto. Foi, na verdade, a primeira pessoa a fazer isso, que só se tornaria um procedimento padrão séculos depois. É por essas determinações e a meticulosidade de tantos dos seus estudos que o principal historiador desse campo, Joseph Needham, o chama de "o pai da embriologia como ciência exata".

Numa biografia onde se deve evitar termos técnicos e não se conta com o luxo de escrever extensamente, é difícil descrever a magnitude e sobretudo a profundidade das conquistas anatômicas de Leonardo. A qualidade de suas dissecações não tinha precedentes. A observação dos detalhes era tão precisa e minuciosa que nessa disciplina — como em tantas outras a que dedicou seus talentos sem paralelos — só um especialista pode compreender plenamente o alcance de suas percepções. Escreveram-se grandes volumes sobre o anatomista Leonardo, e mais, certamente, aparecerão no futuro. Mas saímos do exame de cada um — independentemente da tentativa de distanciamento e da determinação do autor de catalogar cada caso em que a dependência da autoridade antiga conduzia ao erro — mais uma vez esmagados pelo fato de que um tal homem numa tal época houvesse podido tão bem compreender um mecanismo complexo como o corpo humano.

Na primeira parte do século XX, o historiador médico norueguês H. Hopstock resumiu os feitos de anatomia de Leonardo com uma completude que nenhuma outra de minhas fontes pôde atingir, nem mesmo O'Malley e Saunders ou Kenneth Keele. Traduzido, ele diz o seguinte, em sua monografia de 1921:

> Ninguém antes dele, até onde se sabe, fez tantas dissecações em corpos humanos, nem compreendeu tão bem como interpretar as descobertas. Sua explicação do útero foi muito mais precisa e inteligível que qualquer outra antes. Foi o primeiro a dar uma descrição correta do esqueleto humano — do tórax, do crânio e suas várias cavidades pneumáticas, dos ossos das extremidades, da coluna vertebral, da correta posição do pélvis e das correspondentes curvaturas da coluna. Foi o primeiro a dar uma imagem correta de praticamente todos os músculos do corpo humano.
>
> Ninguém antes dele desenhara os nervos e os vasos sangüíneos de forma nem aproximadamente tão correta, e com toda a probabilidade foi o primeiro a utilizar dissecações de uma massa em solidificação na pesquisa dos vasos sangüíneos. Ninguém antes conheceu e descreveu o coração como Leonardo.
>
> Ele foi o primeiro a fazer moldes dos ventrículos cerebrais. Foi o primeiro a empregar cortes em série. Ninguém antes, e dificilmente qualquer outro depois, deu uma

tão maravilhosa descrição da anatomia da superfície plástica, nem produziu aquela riqueza de detalhes anatômicos que ele observou, nem deu uma informação tão correta sobre anatomia topográfica e comparativa.

Hopstock poderia ter acrescentado que ninguém, antes ou depois, "produziu aquela riqueza de detalhes anatômicos" com mais reverência pela vida que Leonardo, fosse a vida humana ou animal. O universo, a Terra e cada ser vivo se encaixavam em sua província, e ele viu as relações entre todos eles. Sempre, em seus estudos, sentimos não apenas uma vontade de saber, mas também de que esse conhecimento um dia possa beneficiar a humanidade. Suas reservas sobre a dissecação foram respondidas pela certeza de que era para um fim superior, e nesse fim ele só via o bem. Quem vai saber por que Leonardo, que procurava respostas apenas nas coisas observadas e conhecíveis, preferiria aqui honrar a natureza honrando a Divindade? Ele escreveu:

> Ó pesquisador desta nossa máquina, não deveis lamentar adquirirdes o conhecimento por meio da morte de uma criatura irmã; mas regozijar-vos pelo fato de que nosso Criador ligou o conhecimento a um tão perfeito instrumento.

Notas Bibliográficas

As pouquíssimas leituras "essenciais" para os que buscam conhecer Leonardo, o que não surpreende, não são as que contêm maior número de fatos verificáveis. São, ao contrário, três textos curtos, cujos autores estabelecem um determinado clima próprio para abordar o Leonardo da lenda. Giorgio Vasari (*Vidas dos Mais Eminentes Pintores, Escultores e Arquitetos*, condensado por G. duc DeVere, editado por R. N. Linscott [Londres: Medici Society, 1959]), Walter Pater (*The Renaissance: Studies in Art and Poetry* [Londres: Macmillan, 1917]) e Kenneth Clark (*Leonardo da Vinci: An Account of His Development as an Artist* [Cambridge, Inglaterra: Cambridge University Press, 1952]), todos eles bem homens de seus séculos, perceberam que a plenitude do objeto de seu estudo não pode ser imaginada sem entrar-se na sua aura, da qual se pode dizer que vem toda a interpretação.

Após ler esses três mestres e passar pelos marcos miliários que colocaram ao longo do caminho dos estudos de Leonardo, é necessário voltarmo-nos para o campo mais mundano dos fatos, lugares, datas e contribuições objetivas. Também aqui três textos podem ser altamente recomendados, dois deles podendo ser considerados diários de viagem sobre a vida do biografado. Nesses três livros há pouca interpretação tipo Clark e Pater, mas riqueza de informação e comentário dos fatos. O primeiro é o freqüentemente citado *The Mind of Leonardo da Vinci*, de Edward McCurdy (Londres: Jonathan Cape, 1928), que desde sua publicação tem servido como ponto de partida para os que querem mergulhar diretamente no que era então conhecido como o pano de fundo histórico das realizações de Leonardo. O outro é *The World of Leonardo da Vinci*, de Ivor Hart (Londres: MacDonald, 1961), uma obra concentrada basicamente nos aspectos da vida de Leonardo que tratam de engenharia e do campo da mecânica.

O terceiro dos textos recomendados é *Leonardo da Vinci* (Nova York: Barnes and Noble, 1997), a imensa (no sentido intelectual e físico) contribuição de um grande grupo de estudiosos italianos, cada um dos quais escreveu sobre um aspecto de Leonardo em que é especialista. Publicado originalmente pelo Instituto Geográfico de Agostini em 1938, o livro foi produzido em conjunto com uma exposição em Milão naquele ano, destinada a reunir toda a erudição leonardiana, incluindo reproduções das máquinas, plantas e material manuscrito. A bem-sucedida conclusão do projeto foi frustrada pela guerra, mas resultou nesse volume abalisado e magnífico sobre da Vinci, de todos os pontos de vista imagináveis. O livro, um triunfo de edição artística na reprodução das ilustrações, foi traduzido para o inglês e reproduzido pela primeira vez em 1956. Uma de suas mais valiosas características é uma extensa bibliografia de fontes anteriores a 1938, que os leitores modernos de outro modo não poderiam ter em mãos.

Um volume quase no mesmo estilo foi publicado por Ladislao Reti sob o título provocativo *The Unknown Leonardo* (Nova York: McGraw Hill, 1974). O autor reuniu um grupo internacional de estudiosos de Leonardo para explicar o conteúdo dos Códices de Madri. O resultado foi outro daqueles grandes feitos editoriais, em que um tomo erudito é ao mesmo tempo uma aventura intelectual, um prazer literário e um banquete para os olhos.

Não se passa um ano sem a publicação de várias novas biografias e comentários sobre Leonardo. Mais de 100 foram publicadas só na década e meia passada, mais de um terço delas em inglês. Entre as mais incitantes e interessantes estão *Inventing Leonardo*, de Richard Turner (Berkeley, Califórnia: University of California Press, 1992), *Leonardo: The Artist and the Man*, de Serge Bramly (Nova York: Penguin, 1994) e o inteiramente único *Fortune Is a River: Leonardo da Vinci and Niccolò Machiavelli's Magnificent Dream to Change the Course of Florentine History*, de Roger Masters (Nova York: Free Press, 1998).

Os próprios manuscritos de Leonardo só foram estudados sistematicamente na década de 1870, e começaram a aparecer em *facsimiles* e transcrições em 1881. A versão que estabeleceu o padrão a ser seguido em inglês foi *The Literary Works of Leonardo da Vinci*, de Jean Paul Richter (1883), desde então muitas vezes reproduzido, mais recentemente numa excelente brochura em dois volumes da Dover Publications em 1970, sob o título mais apropriado de *The Notebooks of Leonardo da Vinci*.

De longe a melhor reprodução de qualquer dos textos de Leonardo é a da coleção de anatomia do Castelo de Windsor preparada por Kenneth Keele e Carlo Pedretti, professor de história da arte da Universidade da Califórnia em Los Angeles, para publicação pela Harcourt, Brace Jovanovich em 1979. Esse conjunto de três volumes, *Leonardo da Vinci: Corpus of the Anatomical Studies in the Collection of Her Majesty the Queen at Windsor Castle*, consiste em dois livros de páginas manuscritas e uma coleção de desenhos soltos contidos numa caixa para facilitar a consulta.

A contribuição de Kenneth Keele aos estudos de Leonardo é enorme, na área da ciência e particularmente anatomia. De especial importância são seu *Leonardo da Vinci on the Movement of the Heart and Blood* (Londres: Lippincott, 1952), *Leonardo da Vinci and the Art of Science* (Hore, Sussex, Inglaterra: Priory Press, 1977) e *Leonardo da Vinci's Elements of the Science of Man* (Nova York: Academic Press, 1983). Usei livremente todas as obras do Dr. Keele, incluindo inúmeros artigos de periódicos.

Esta biografia se concentra nos estudos anatômicos de Leonardo, uma área em que se encontra uma rica arca de tesouros, grandes e pequenos. Se se tivesse de nomear uma obra seminal, seria *Leonardo da Vinci the Anatomist*, de J. Playfair McMurrich, publicado pela Carnegie Institution em 1930. Os outros padrões são *Leonardo da Vinci on the Human Body* (Nova York: Henry Schuman, 1952), de Charles O'Malley e J. B. de C. M. Saunders, e *Leonardo the Anatomist* (Lawrence, Kansas: University of Kansas Press, 1955), de Elmer Belt.

Duas monografias, nenhuma das quais pode ser encontrada por modernos meios eletrônicos, influenciaram meu pensamento. As duas estão cheias de penetrantes intuições, uma sobre o homem e outra sobre seus estudos anatômicos. A primeira é "Leonardo da Vinci", Quarta

Conferência Anual da Academia Britânica sobre um Mestre, feita a 11 de junho de 1922 por C. J. Holmes, diretor da National Gallery. A segunda, intitulada "Leonardo as Anatomist", é um ensaio publicado nos *Studies in the History and Method of Science*, de um norueguês identificado apenas como H. Hopstock, em 1921, hoje tão esquecido que não consegui descobrir o primeiro nome, mesmo com o uso de pesquisas no computador. Qualquer que tenha sido esse nome — talvez Haakon ou Hajo —, Hopstock é apenas um entre dezenas de estudiosos que iluminaram nossa compreensão das capacidades da mente humana, estudando um homem cujo nome se tornou sinônimo de Gênio.

markgraph
Rua Aguiar Moreira, 386 - Bonsucesso
Tel.: (21) 3868-5802 Fax: (21) 270-9656
e-mail: markgraph@domain.com.br
Rio de Janeiro - RJ

"Dr. Rutland has masterfully intertwined two classic portions of Scripture—the Lord's Prayer and the Twenty-third Psalm. The result is a study that will touch your heart and strengthen your faith."

—Max Lucado

"Have you ever felt stuck in your prayer life? Are you looking for a way to connect with God and find healing, hope, freedom, and so much more? In my dear friend Mark Rutland's new book, *21 Seconds to Change Your World*, he explains that the answer lies in the Lord's Prayer. Jesus gave us a way to connect with God—a road map to prayer—when He taught His disciples the Lord's Prayer. This book will help you discover how to take your prayer life to a new level, and it starts with just 21 seconds a day in prayer."

—Robert Morris, founding senior pastor, Gateway Church, Dallas/Fort Worth, Texas; bestselling author, *The Blessed Life, From Dream to Destiny, The God I Never Knew,* and *Truly Free*

"This book is bold. This book is vulnerable. This book is revolutionary. By combining two ancient poems, Dr. Rutland has given us a compass for our intellect and our spirituality that is both universal and sufficient. In the Lord's Prayer and Psalm 23 everything that you might feel needs to be said when you pray is said beautifully."

—From the foreword by Mark Batterson, *New York Times* bestselling author; lead pastor, National Community Church

"*21 Seconds to Change Your World* highlights the lifeline given to us through the Lord's Prayer and Psalm 23. There was a period in my life when I prayed Psalm 23 daily over my family. Praying promises to problems brings God's provision. Apply and practice their principles and God will demonstrate His love and wisdom in a daily way in your life. Expect revelation and to hear God's voice."

—Dr. Marilyn Hickey, Marilyn Hickey Ministries

"Dr. Rutland's vulnerability and insights make this book a must-read for anyone looking to improve their prayer life. You will be moved by the stories of God's work in people's lives and learn how to connect with God in a new and meaningful way."

—Jentezen Franklin, senior pastor, Free Chapel; author, *New York Times* bestseller *Fasting*

Our Father who art in heaven, hallowed be thy name.
Thy kingdom come, thy will be done in earth, as it is in heaven.
Give us this day our daily bread.
And forgive us our debts, as we forgive our debtors.
And lead us not into temptation, but deliver us from evil:
For thine is the kingdom, and the power, and the glory, for ever.
Amen.

"Whatever else we say when we pray, if we pray as we should, we are only saying what is already contained in the Lord's Prayer."

—St. Augustine

"The Lord's Prayer is the most perfect prayer we can say. . . . It is not only a cataloger of petitions but also, and especially, a corrective for our affections."

—St. Thomas Aquinas

"A Christian has prayed abundantly who has rightly prayed the Lord's Prayer."

—Martin Luther

"Every prayer of ours should be a praying of the Lord's Prayer in some shape or form."

—J. I. Packer

"The Lord's Prayer contains the sum total of religion and morals."

—Arthur Wellesley (The Duke of Wellington)

21 SECONDS TO CHANGE YOUR WORLD

FINDING GOD'S HEALING AND ABUNDANCE THROUGH PRAYER

DR. MARK RUTLAND

a division of Baker Publishing Group
Minneapolis, Minnesota

Published by Bethany House Publishers
11400 Hampshire Avenue South
Bloomington, Minnesota 55438
www.bethanyhouse.com

Bethany House Publishers is a division of
Baker Publishing Group, Grand Rapids, Michigan

Printed in the United States of America

Library of Congress Cataloging-in-Publication Data is on file at the Library of Congress, Washington, DC.

Library of Congress Control Number: 2015950822

ISBN 978-0-7642-1770-8

All names and recognizable details have been changed to protect the privacy of those whose stories have been included in this book.

Cover design by LOOK Design Studio

Author is represented by The FEDD Agency, Inc.

16 17 18 19 20 21 22 7 6 5 4 3 2

To all who, down but not out,
rise from the mat,
lift their weary gloves,
and wade back in for more.

Contents

Foreword

Have you ever heard someone talk about how their entire life changed—their entire life was saved—because they had a thought that was just out of character enough to think upon it and act?

There are tons of stories about people hearing a quiet voice in their heads saying something like *Hey, just look up,* or *Turn left at the corner,* or even something as universal as *You are loved.*

For me, that voice is loudest when I write. Writing is where I listen and record, but there is still a gap between this writing and that still, small voice of the Holy Spirit—and I pray every day that God will meet me in the middle. Prayer is about listening to His voice in the depths of your heart. I hit my knees so that voice will get louder and louder.

Dr. Rutland shares his vulnerable story of when he heard the voice say, "You have a prayer," which was a catalyst for personal restoration and rebirth. The function of prayer is not to influence God, but rather to change the heart, mind, and soul of the one who prays.

If I had to teach *one* message over and over and over again, it would be how to pray. The good news is that the best teacher in the history of mankind made it really easy for people like me to teach this message. Thousands of years ago Jesus gave us a template; we call it "The Lord's Prayer."

Thus *21 Seconds to Change Your World,* with its strangely simple and wildly profound message, was born. This book is bold. This book is vulnerable. This book is revolutionary. By combining two ancient poems, Dr. Rutland has given us a compass for our intellect and our spirituality that is both universal and sufficient. In the Lord's Prayer and Psalm 23, everything that you might feel needs to be said when you pray is said beautifully—whether it's solitarily or congregationally.

I've always said that I believe we are all only one prayer away from a totally different life. But Dr. Rutland has taken it a step further. It's exactly 21 seconds. That is not a long time to completely revolutionize your world.

But let me clarify that this message is not about a time limit or succinctness or turning prayer into something to check off your list. It's an exegetical look at the beauty, simplicity, diligence, and profundity found in something that we've all likely taken for granted merely because it has been there forever. Dr. Rutland looks at this mega-prayer narratively, historically, structurally, literarily, and practically. He takes us all the way back to the man who first prayed it and asks, "If it's good enough for Jesus, isn't it good enough for us?"

If you ask me what I pray for more than anything else, the answer is hands-down the favor of God. While it's difficult to describe or define, the favor of God is what God can do for you that you cannot do for yourself. Asking for a better way to pray is a prayer that can and should be prayed. It's funny that prayer is one of the most difficult and simplest things to do every single day. Sometimes, though it might be all we have, it's hard to find the right words. We can all attest to this. Who hasn't felt the blush of guilt from having to admit that you don't pray enough or that you should pray more? But always remember one thing when it comes to prayer—it is better to have a heart without words than words without a heart. The Bible gave us the words, and this book reinforces and sheds a new and relevant light on them.

You are only 21 seconds away from living a totally different life.

Mark Batterson

Acknowledgments

I recently read an author's acknowledgment in which he testified that even as a child he wanted to write just such an acknowledgment. I suppose this might simply be his way of saying he wanted to be published, for without a book there is no need of acknowledgments. Yet he seemed to be saying something else. It seems he had read a book with acknowledgments in it and he was touched. He determined at that very moment that he would someday write a moving acknowledgment page.

I admit to no such childhood fantasy of writing acknowledgments. I wanted to write books. I admit that. I was not, as far as I remember, all that excited about the acknowledgments. As I have gotten older, however, I have come to see what an honor it is to be named by an author as having been important to the process of producing that book.

As far as I know, I have never been acknowledged in the front of anyone's book. I should like to be and I brazenly appeal to whomever is so moved to do so. I would prefer the acknowledgment to be extravagant. I urge total disregard for propriety or modest language or fear of inflating my ego. Go for it! Tell all who will listen how your book would not have been possible without me and my invaluable contribution.

In my mind, the greater part is to be acknowledged. I hope those mentioned here feel genuinely honored to such an extent that their heads swell dangerously and their hearts are sorely tempted to pride. I do not want them to feel casually mentioned, as in a child's prayer. God bless Mommy and Daddy and my friend Jimmy and all my toy soldiers. No. I want those acknowledged by me to fairly burst with delight. I herein acknowledge no one out of obligation. They are mentioned intentionally and with deep gratitude. Their contribution to this book is of tremendous value to me. I cherish what they have done or endured or contributed in order to see this book in print, and I pray that they feel gratified with the finished work. What follows is a book written by one but to which many were crucial.

This book was written out of a struggle. I did not go through that struggle alone. Without my wife, Alison, this book quite simply would not have been written. She is a woman of prayer. I thank God for her and I openly acknowledge the fact—the huge, wonderful, undeniable fact—that without her I would not have written this book. It is not just that without her I would not be the author of this book; without her it is very likely that I simply would not be.

I gratefully acknowledge two wonderful pastors, Wayne Blackburn and Lawrence Lockett. They believed in me. May they be blessed beyond measure. The promise of obtaining mercy is unto the likes of them.

My deepest thanks go also to James Leatherbarrow and Severo Baltasar, without whose patient efforts in tech support and editorial assistance the task would have been even more daunting than it was.

Finally, I rejoice to acknowledge the God of the two Jewish kings whose prayers are the basis of this book. In a terrifying valley I found Him to be the Good Shepherd and the restorer of my soul, just as David said I would. In days as dark as night I found Him to be the loving and forgiving Father whose mercies are new every morning, just as Jesus promised.

Mark Rutland, PhD
2015

Part 1

THE JOURNEY BEGINS

1

How the Lord's Prayer saved my life

The awful night into which I had entered was either to be the end of me or the start of something fuller and freer than I had ever known. The walls of the well into which I had plunged were damp and slimy. There was nothing to grip. I knew which way was up. I could even see the light above me. I had been there before. Now, however, I had slipped into a dark and terrible place called depression.

I was not at the bottom yet. Was there a bottom? The pit yawned below me with no apparent floor, while I perched on a narrow ledge partway down and clung to life and ached for a way back up.

I had not been thrown into this well. I had fallen. Fatigue, toxic success, and, subsequently, depression had subverted my soul. I had quite simply gotten lost and pitched headlong into this pit of despair.

My soul's dilemma was no different from that of any soul stranded on life's ledge: What do I do now? There were easy escapes. I could leap further in, but the horrifying finality of that kept me there on the ledge. Half-life was also there, of course—not the pit, not the gaping darkness below me, but not the light above me either. I could just quit, settle in on that lonely ledge, and try to live it out right there, if existence on such a ledge between the darkness and the light can even be called life.

A loving wife who refused to quit, refused to let go of my hand, and a tiny corps of true friends who were there telling me to hold on, to see it through, to wait on the good hand of a loving God who was stronger than depression and fear and darkness—they were my lifeline. Without them, especially my wife, there was no hope as far as I could see, but I needed, desperately needed to find a solid rock to stand on, a broader place than that miserable, precarious ledge. Even more than that, I needed a place to grip. If I was going to climb back up into the light, if I was ever going to get further into the light than I had ever been, if I was going to get to a place of health I'd never known, I knew what I had to find. A place to start. A handhold.

A voice spoke from below me in the darkness. Or was it from within me? I wasn't sure. A voice said what I was thinking: "You don't have a prayer."

Then, right at that very moment, from above me, from out of the light, another Voice spoke. "Yes," that Voice said. "Yes, you do. You have a prayer if you will learn to use it."

My journey into soul restoration began there, right that minute, in one of the darkest times of my life, when I discovered that I did indeed have a prayer. The greatest, most powerful prayer ever is a simple one—an ancient one—in fact. The prayer was originally taught by a Jewish rabbi almost two millennia ago.

Now it came alive for me. Perhaps I should say it came alive *in* me. It became my life. I breathed it. I marinated my poor brain in it. I said it multiple times a day, sometimes scores of times. I clung to it, clutched at it as a drowning man clings to a raft in the middle of a storm-racked sea. It was my meat, my friend, my comfort in the night. I meditated on it, grew to cherish its words, its structure, its brilliant and magnificently anointed economy of language. Not a syllable is wasted, not a jot or tittle is superfluous. Yet its perfection is more, far more, than literary genius. Its power is supernatural. It is the greatest prayer ever taught or prayed. It heals, delivers, protects, empowers, and provides for those who pray it. Beyond even that, it is the only prayer that particular rabbi ever taught His followers. His name was Jesus. Nowadays most of those who pray the words that rabbi taught are Gentiles. They call it the Lord's Prayer or the Our Father.

Over the course of those painful years, nearly ten years, where I prayed the Lord's Prayer like a drowning man, I added to my daily saturation in that prayer an ancient song, or perhaps a poem, written not by a Jewish rabbi but by a Jewish king. David, Israel's greatest and most complicated king, wrote the poem a thousand years before Jesus of Nazareth was born. Today Jews and Gentiles alike still use the poem devotionally. It's called the Twenty-third Psalm.

I began with the Lord's Prayer, then later mixed in the Twenty-third Psalm. Prayed back to back, over and over and over again, dozens of times a day, they became the lifeline that hauled me up from the pit and put my feet in a broad place. They were medicine and life and health to me. They became the recipe of the divine. Now, all these years later, I still pray them together, time after time, every single day of my life. Praying them together so often, hundreds, perhaps thousands of times over these years, I began to see how beautifully the Lord's Prayer and Psalm 23 fit together. They are gears that interlock gently, perfectly, never grinding, turning the human soul toward the healing for which it yearns. Seen, prayed, and laid out side by side, the parallel splendor of the two is absolutely miraculous.

Come with me now. Let me introduce you or, more likely, reintroduce you to my beloved friends, the Lord's Prayer and Psalm 23. Of course, they are not my friends alone. They have brought healing power to millions for centuries. I invite you to meet them, or meet them again, and come to know them more intimately, perhaps more fully than you ever have before.

How the Prayer Fell Into Disuse

Two very disparate elements of Christendom have regrettably nudged the Lord's Prayer toward a musty and seldom opened cabinet. It happened because of equal and opposite errors, but the effect was the same: assumed irrelevance. The Roman Catholic use of the Lord's Prayer for acts of penance sometimes devolved in the minds of Catholic laypeople into punishment rather than penance: "Say three Our Fathers and three Hail Marys and do something nice for the person you hurt." The intent was to push the penitent soul straight into a dynamic encounter with spiritual formation. Somewhere along the line, for some, saying the Our Father became the parochial version of writing "I will not talk in class" one hundred times on the blackboard.

Some traditional Protestants deposited the great prayer in the dustbin of spiritual irrelevance, or at least powerlessness, in quite another way: liturgy. By relegating the Lord's Prayer almost exclusively to liturgy, it became the mindless suffix to the pastoral prayer, the obligatory annex tacked on corporately just before the amen. Droned through with bovine enthusiasm, the prayer became to genuine spiritual formation what outdoor lights became to the meaning of Christmas.

Charismatics and Pentecostals finished the job. Paranoid about any possible liturgical subversion and terrified that something might look—God forbid—traditional, they by and large ignored the Lord's Prayer. When I became the president at Oral Roberts University, certainly the best known charismatic university in the world, I began to occasionally use the Lord's Prayer corporately in the chapel services. It was not long before one mother called me in tears that her daughter was in "spiritual pain" at being subjected to such a practice. I was, she maintained, destroying the students' worship experience. Pointing out to her that Jesus gave us the prayer and commanded us to use it proved an irrelevant and effete argument in the face of her deeply held convictions. Christian college students, she insisted, should not be put through such a grueling and Spirit-killing experience as praying the Lord's Prayer together in chapel.

Some charismatics even dismissed the prayer as "too elementary" and lacking in faith. Odd, isn't it, since it is the prayer Jesus told us to pray. I find myself reluctant to dismiss the Lord's direction on prayer. It could be that those who believe they have "moved beyond it" have marched on to some greater victory, leaving their ammunition behind.

I found much more winsome the response of a visitor at Free Chapel Church in Orange County, California. After hearing me teach at length, she told me how excited she was to go home and memorize the prayer and start using it. She said she had never heard the prayer before and found it quite beautiful and that hearing it had a powerful effect on her. I was surprised that she had come to adulthood without having ever heard the Lord's Prayer until she explained that she was Jewish.

"It is a Jewish prayer," I told her. "A Jewish rabbi taught it to His Jewish followers. It was decades before any Gentiles ever heard it or prayed it."

Absolutely delighted with this fact—and it is a fact—and utterly charmed by the prayer itself, she assured me that she would use it just as I recommended. Not coincidentally that conversation and the thrill of discovery I saw in her eyes in no small part helped me decide to write this book. Have you laid aside the Lord's Prayer? Has it become perfunctory? Or even forgotten? What about the Twenty-third Psalm? Does it thrill you to pray it? Is it the medicine of your very soul's restoration? Do you merely repeat it without considering its importance? How long since you prayed or meditated on the psalm?

That precious Jewish woman was not the sole encouragement I received to write this book. Pastor Jentezen Franklin invited me to teach on this at Free Chapel Church. He expressed that he was personally touched in a new way by the ancient prayer. He graciously but firmly pressed me to write this book—and furthermore, not to wait. My wife, Alison, also urged me to do so. In other words, two of the most significant Christian spirits in my life seemed as blessed as that Jewish visitor.

I interpreted that to mean that the book might be a blessing to neophytes and veterans alike. I was, of course, thrilled that a Jewish woman who had never heard the Lord's Prayer could express such genuine excitement for this teaching. Knowing that two wonderful, mature, experienced Christian leaders such as Alison and Pastor Franklin were so deeply stirred was the impetus I needed.

The Lord's Prayer and the Twenty-third Psalm together became the cocktail of life that healed my mind. Mixed and well-shaken, repeated back to back, over and over again, prayed aloud, prayed silently, desperately, and joyfully, sometimes with such ragged faith that it could hardly be called faith, these two ancient devotional instruments became the medicine of my soul's restoration.

There is, of course, the issue of this book's title. I found that it takes about 21 seconds to pray the Lord's Prayer. Try it.

See how long it takes you. This is a remarkably short amount of time to do something so powerful—to commune with God about the state of your soul.

For the purpose of this book, I am using the version of the Lord's Prayer recorded in the book of Matthew in the King James Version. The noteworthy difference between the KJV translation and the version more commonly prayed in public by Protestants is that the Scripture uses the word *debts* instead of *trespasses*. The word *debts* is also used in the classical musical version of the Lord's Prayer. Later in this book I will discuss how those two words (*debts* versus *trespasses*) and an understanding of both enrich the implications of the Lord's Prayer. Try not to get hung up on the words. If one version or another appeals, by all means, use that one. In appendix B you will find the Lord's Prayer in multiple languages.

Psalm 23 in this book will also be quoted from the King James Version. This is for two reasons. First, most people who have, sometime in their lives, even back in Sunday school, memorized Psalm 23, did so in the King James Version. Likewise, it is the version most often used in public worship. Beyond that, quite frankly, it is simply my preference. I personally cherish the rich Shakespearean sound of Psalm 23 in the King James Version, and no other translation has ever hit me with anywhere near the same impact. Again, if you prefer some other translation, please use that one. Of course, in heaven you will have to answer to both King David and Shakespeare.

Come then. Veteran, visitor, window-shopper, or sanctified saint, this is for you. Take my hand and let us begin. You're going to love this.

The Lord's Prayer

Our Father who art in heaven, hallowed be thy name.
Thy kingdom come, thy will be done in earth, as it is in heaven.
Give us this day our daily bread.
And forgive us our debts, as we forgive our debtors.
And lead us not into temptation, but deliver us from evil:
For thine is the kingdom, and the power, and the glory, for ever.
Amen.

Psalm 23

The Lord is my shepherd; I shall not want.
He maketh me to lie down in green pastures: he leadeth me beside the still waters.
He restoreth my soul: he leadeth me in the paths of righteousness for his name's sake.
Yea, though I walk through the valley of the shadow of death, I will fear no evil: for thou art with me; thy rod and thy staff they comfort me.
Thou preparest a table before me in the presence of mine enemies: thou anointest my head with oil; my cup runneth over.
Surely goodness and mercy shall follow me all the days of my life: and I will dwell in the house of the Lord for ever.

2

Life-changing words

The Rabbi's Prayer and the King's Poem

The Lord's Prayer (The Our Father)

The Lord's Prayer, as it is called by Protestants, or the Our Father, as Catholics name it, is a brief prayer, ever so brief, taught by a Jewish rabbi two thousand years ago. His name was Jesus. You may be so familiar with this prayer that you have trouble paying attention to it anymore. On the other hand, maybe it wasn't part of your tradition and it is still relatively unfamiliar to you. Either way, my aim here is to give you a fresh perspective, to help you see it with new eyes and an open heart.

This prayer is recorded in the Bible in two places—Matthew 6:9–13 and Luke 11:2–4. In Matthew's account, Jesus teaches the prayer as a part of the Sermon on the Mount. He is apparently making a contrast between religious ostentation and the simplicity of the Lord's Prayer. The words are similar in both accounts, though Matthew includes a few words not mentioned in Luke: "For thine is the kingdom, and the power, and the glory, for ever. Amen." These words appear at the end and might be called a doxology or a liturgical response. Protestants almost universally include it in the prayer. Since Vatican II, this ancient doxology is now included in the Catholic mass.

All in all, these minor variations aside, the Lord's Prayer is the one prayer prayed across virtually all denominational, national, and generational boundaries. I truly believe it is safe to say that every minute of every day, somewhere in the world some individual is praying a version of the Lord's Prayer. Indeed, it may be equally safe to say that some Christian group, church, prayer gathering, or underground cell somewhere in the world is reciting the Lord's Prayer aloud together at any given moment.

In May 2014, Pope Francis made a historic visit to Jerusalem. While there he met with and humbly kissed the hands of six holocaust survivors at Yad Vashem. Encouraged by the Israeli government to do so, he became the first pope ever to visit the Victims of Acts of Terror Memorial. The memorial commemorates all the nation's victims of Palestinian and Arab terrorism going all the way back to 1851. At the Western Wall, Pope Francis knelt and prayed with his forehead against the massive ancient stones. As countless thousands before him have done, he also wrote a prayer, folded it, and tucked it into the wall. When asked what he wrote, he said it was the Our Father written in Spanish, his native language.

It has been debated for two thousand years whether Jesus was teaching His followers a model of prayer or a model prayer. Some feel strongly that He was teaching us a style of prayer: simple, clear, humble, and unassuming. They feel that He was talking about the way to pray, the kinds of things that are appropriate to pray about. Others feel that Jesus was actually giving His followers the exact words to say. In other words, that

He was giving His church a liturgical and devotional prayer for public and private use.

No one knows which of these was in Jesus' mind when He taught the prayer. Perhaps both or some of both. It is apparent that the prayer has become both to the body of Christian believers worldwide, and Jesus' prayer continues to change lives today.

For example, I met with an elderly World War II combat veteran still tortured by a scene of such horror that he said he had not slept without a nightmare since 1943. In blasting open an enemy machine gun nest, he had killed some civilians whom the enemy soldiers were using as human shields. He did not see the civilians until it was too late to stop the blast. The nightmare he relived nightly was a child's arm that had hurtled through the air and hit him in the face. He woke up screaming night after night for all those decades. He and his wife had nearly lost their minds.

Through the Lord's Prayer we began to work our way through that horrific moment together. The next morning he told me that he had the sweetest night's sleep he had experienced since 1943.

He eagerly committed to keep on praying the Lord's Prayer and then to add Psalm 23. He told me some months later, "The Lord's Prayer has become my best friend, and the Twenty-third Psalm is my second-best friend." Pretty good friends, I'd say. In the years to follow he let me know that his inner healing was powerful and continuing.

The Structure of the Lord's Prayer

By studying the prayer Jesus taught, we can clearly see how He understood prayer, its purposes, and its principal areas of expression. There are five topics in six sections or divisions of the prayer. One topic is worshiping who God is. This is at the beginning and the end of the prayer. The other four are basically petitions with secondary elements of submission and confession of need.

I. Praise
II. Petition for God's kingdom and will
III. Petition for daily providence
IV. Petition for forgiveness and healing from unforgiveness
V. Petition for protection from sin and evil and/or the Evil One
VI. Praise

The four petitions listed above can be, and commonly are, listed as seven. However, that requires dividing petitions that I believe are intentionally conjoined. God's will and His kingdom are one, not two. My forgiveness and my granting forgiveness cannot be separated. In fact, in Matthew, when Jesus comments on the prayer, He says as much. Finally, I do not believe it is possible to separate temptation and evil in the final petition. Having said all that, whether listed as four petitions, as I have done, or seven as they are described elsewhere, they are the body of a brief and powerful prayer that can change the world.

Irrespective of how we divide the number of petitions, we can see that Jesus models an appropriate prayer protocol that begins and ends with praise. The praise at the first and the last is altogether conscious of who God is. The petitions are about human need, but the praise is about the divine character summarized in four words: holiness, kingship, power, and glory.

Thy name is holy.
Thine is the kingdom.
Thine is the power.
Thine is the glory.

All four are about Him, not us, not our needs, not our sins, and not our service. So much of what passes for praise today is saccharine emotionalism, filled with narcissistic self-absorption. How I feel about God. How much I love God. How good His love makes me feel. How victorious God makes me. Me, me, me.

The Lord's Prayer begins and ends with God and God alone. His name. His kingdom. His power and His glory. Yes, in between God's holiness and God's glory I am free to express my needs, but what good are my petitions if God is not who He is?

Now, what about those needs? Jesus tells us the categories of things that are reasonable for us to seek from a holy, powerful heavenly Father. There is nothing at all wrong and everything right about confessing to God my dependence on His grace. I will make a wreck of it apart from His royal will over my life's course and direction. Without Him I cannot even feed myself. I need His forgiveness and I need His grace to forgive others. Finally, apart from His guidance and strength, I will walk into every trap of satanic evil.

If we never used a single word from the Lord's Prayer but sincerely prayed along the lines of this model in our own words, I do not for a moment believe God would be offended. Likewise, it is hardly plagiarism to pray the exact words of the Lord's Prayer. I cannot see how the words, the exact words of Christ, can be improved upon. The point is this: Either way, it is the most important prayer ever prayed. If you say it is a loose pattern of prayer and not one to be prayed from memory, then I say pray that pattern ferociously. If you say it is *the* model prayer, and that the words as Jesus taught them should be prayed without our tampering with them, then I say pray it sincerely and in faith and not in vain repetition.

Prayer Challenge

For the balance of this book I'm going to be teaching on the Lord's Prayer as a unit, as it is recorded in Matthew, as it is commonly prayed in the broader Christian community. It is printed below. Try not to just read it but to actually pray it. Read it slowly. Read it with active and energetic faith. It will take you all of 21 seconds to pray at a moderate speed.

The prayer is printed six more times in this book. I urge you to stop each time you come to it and pray it. Try not to let your mind skim ahead or hurry past anything. Slow down and pray it. Don't just read it. Soak in it. If you do, by the end of this book you will have prayed this ancient yet holy and living prayer eight times in English. In addition to this, appendix B contains sixteen other translations of the Lord's Prayer. I also hope that by the end of this book you will have made a commitment to pray the Lord's Prayer at least once daily for a year. Can you make it twice? How about five times daily? That would still be less than two minutes a day. Shockingly, even that is more than many Christians pray daily.

This is no guilt trip. This is a prayer trip. This is earth-changing power in a 21-second prayer. If two minutes a day is more prayer than you can think of doing at this stage of your life, commit to pray the Lord's Prayer once a day. Pray 21 seconds, once a day, for one year, and your world will be changed.

Our Father who art in heaven, hallowed be thy name.
Thy kingdom come, thy will be done in earth, as it is in heaven.
Give us this day our daily bread.
And forgive us our debts, as we forgive our debtors.
And lead us not into temptation, but deliver us from evil:
For thine is the kingdom, and the power, and the glory, for ever.
Amen.

Psalm 23: The King's Poem

As I journeyed deeper and deeper into the Lord's Prayer, I soon encountered another "lost friend," Psalm 23. I now see that this rendezvous was virtually inevitable. The Lord's Prayer and Psalm 23 have much in common at a multiplicity of profound levels. I began to explore the many ways in which the two are so beautifully interwoven. First of all, I became intrigued with the ways in which Psalm 23 expands on the economical language of the Lord's Prayer. That in itself is a remarkable idea since David wrote Psalm 23 a thousand years before Jesus was born. That only fueled my growing fascination, not with the great psalm itself, but with its author. Some poets who have penned deeply moving lines of great beauty were themselves somewhat drab and colorless characters. Not so King David. Not by a long shot. A more complex personality than this warrior king could never have been imagined by Hollywood's most creative minds.

The honorific title "The Great" has been claimed for themselves by kings and tyrants. It is more appropriately granted by history. Alexander the Great of Macedonia is so referred to because of his conquests. Alfred the Great is the only English sovereign in history to be so honored. Among all the line of the kings of Israel and Judah, only one is accorded the title of Great. Herod the Great. What a bitter historical irony that is. In the first place, he was not precisely Jewish. He was an Idumean and the grandson of an Arab sheik. His was an evil genius. A builder of monumental accomplishment, he was also a quisling whose skill at murder, conspiracy, and collaboration exceeded even his engineering feats.

The one king of Israel to whom the title ought to have gone— David of Bethlehem—was overlooked. He was truly a renaissance man, more than two thousand years before the Renaissance began. His rise to fame was meteoric. As a youth he became a military hero and the celebrated son-in-law of the king. The various roles of his career include outlaw, mercenary, guerrilla chieftain, musician, king, founder of the city of Jerusalem, and father of a dynasty. David was a genius, and as a breed, geniuses tend to be complicated. David was no exception. Like the girl with the curl in the middle of her forehead, when he was good he was very good, and when he was bad he was horrid. His most enduring legacy, however, was actually his poetry. Three thousand years after he conquered Jebus and renamed it Jerusalem, his poetry is at the emotional heart of two major religions. His works are still studied in universities around the world, literary allusions to his poetry abound, and many of his poems are still being put to music in the twenty-first century. Beyond the beauty of his poetry, some of David's works are highly prophetic and even messianic. Among Jesus' last words on the cross was a quote from Psalm 22: "My God, my God, why hast thou forsaken me?" (v. 1).

His masterwork is without a doubt the piece we now call Psalm 23. I hazard to say it is the most memorized, most quoted, most beloved passage in the entire Bible and perhaps in all of the world's great literature. In 118 words (in the KJV), David captures the essence of Judeo-Christian thought relative to our joyful dependence on a loving and personal God who is at once guardian and provider. How strange to listen to a warrior, a man who shed rivers of blood in multiple campaigns, use language that excels Shakespeare's in both emotive sensitivity and creative imagery.

Psalm 23 is a poetic masterpiece. It is also profoundly theological, the combination of which is no easy task. If for no other reason than Psalm 23, David is certainly Israel's greatest king. David lived and wrote in an age that saw God largely as distant, impersonal, unapproachable, and mysterious to the point of being frightening. David's sense of intimacy with God and his calm assurance of God's providential personal concern sound far more like Jesus than Moses. Below is Psalm 23 in English and Hebrew.

> The Lord is my shepherd; I shall not want.
> He maketh me to lie down in green pastures: he leadeth me beside the still waters.
> He restoreth my soul: he leadeth me in the paths of righteousness for his name's sake.
> Yea, though I walk through the valley of the shadow of death, I will fear no evil: for thou art with me; thy rod and thy staff they comfort me.
> Thou preparest a table before me in the presence of mine enemies: thou anointest my head with oil; my cup runneth over.
> Surely goodness and mercy shall follow me all the days of my life:
> and I will dwell in the house of the Lord for ever.

> יְהוָה רֹעִי, לֹא אֶחְסָר.
> בִּנְאוֹת דֶּשֶׁא, יַרְבִּיצֵנִי; עַל-מֵי מְנֻחוֹת יְנַהֲלֵנִי.
> נַפְשִׁי יְשׁוֹבֵב; יַנְחֵנִי בְמַעְגְּלֵי-צֶדֶק, לְמַעַן שְׁמוֹ.
> גַּם כִּי-אֵלֵךְ בְּגֵיא צַלְמָוֶת, לֹא-אִירָא רָע—כִּי-אַתָּה עִמָּדִי;
> שִׁבְטְךָ וּמִשְׁעַנְתֶּךָ, הֵמָּה יְנַחֲמֻנִי.
> תַּעֲרֹךְ לְפָנַי, שֻׁלְחָן—נֶגֶד צֹרְרָי;
> דִּשַּׁנְתָּ בַשֶּׁמֶן רֹאשִׁי, כּוֹסִי רְוָיָה.
> אַךְ, טוֹב וָחֶסֶד יִרְדְּפוּנִי—כָּל-יְמֵי חַיָּי;
> וְשַׁבְתִּי בְּבֵית-יְהוָה, לְאֹרֶךְ יָמִים.

Bringing the Prayer and the Poem Together

Because of the history and connections between Jesus and David—which we'll get into in more detail in the next chapter—it is more than appropriate to read and even pray David's greatest poem in tandem with Jesus' great prayer. Some may flinch at the idea of "praying" Psalm 23, since it is not precisely a prayer in the same sense that the Lord's Prayer is. An ancient and accepted devotional discipline is to "pray" Scripture, and no Scripture lends itself more to prayer than Psalm 23. Absolutely no chapter or verse in the Bible marries more sweetly with the Lord's Prayer.

The Lord's Prayer is the briefer of the two partners, though both are extremely brief. The Lord's Prayer was given by Jesus himself in response to a request from His disciples: "Lord, teach us to pray" (Luke 11:1). It is in fact precisely that—a prayer—and therefore is directed entirely "to" God. Psalm 23, though prayerlike, is actually "about" God, not directed entirely to Him. It is one of many such psalms or poems recorded in the Bible. Though David was not the author of them all, he was almost certainly the composer of Psalm 23.

Both can be put to music and have been sung millions of times in multiple styles. The authors of the two were both famous and highly controversial in their own day, and both authors were Jewish. We may assume both were written in Hebrew. Some insist that Jesus largely spoke in Aramaic, and that may have been true conversationally, but I consider it highly unlikely that he would have prayed in any language except Hebrew. Despite Aramaic being the common daily language, Hebrew remained *Lashon Hakodesh*, the sacred language of the Jewish people. The words of the Lord's Prayer and Psalm 23, seen together, weave a beautiful tapestry of healing power. As you see how these two works connect, they will come alive for you in a new way.

Expect the Unexpected

There are statements so obvious in their truth that no one will even argue with them, which said aloud, sound strange to the point of shock. Here is one. Mozart never wrote a single note of classical music. Not one. We know this, but it sounds strange to say it. His music is only classical *now*. In his day Mozart was writing contemporary music. He was a rock star with all the concomitant addictions that drove him to an early death, an eighteenth-century Kurt Cobain. Yet we so often use the word *classical* in connection with Mozart's music that truth becomes blurred by custom.

Here is a statement that should give no one a flicker of pause: Jesus was not a Christian. Jesus never knew a Christian or knew anyone that became a Christian until after His crucifixion. He was Jewish and all of His companions were Jewish. All of those He taught were Jewish except a very few scattered Gentile tourists, some in Syrophoenicia, and here and there a Roman soldier. The prayer that we call the Lord's Prayer is thoroughly Jewish, taught by a Jewish rabbi to a Jewish audience in Israel. Therefore, it is no surprise that the prayer is quite consistent with the mainstream of Jewish prayer.

More surprising by far is that Psalm 23, written by King David a thousand years before Jesus was born, is more similar to Christian prayers, at least in one important way. Most Jewish prayers are corporate in nature; that is, they are usually plural in their language. The Lord's Prayer is a perfect example. "Our Father . . ." "Give us . . ." "Forgive us . . ." This is characteristic of most Jewish prayers, especially liturgical prayers, which are commonly about the Jewish people, the land, the nation, or the family.

It was David, a Jewish king a millennium before anyone ever heard the word *Christian*, who said, "The Lord is *my* shepherd," "He anoints *my* head," and "He prepares a table before *me*." Famously, David employs a not uncommon biblical metaphor, that of the interaction between a shepherd and his sheep. In doing so, however, he uses the metaphor in a unique way. Psalm

100 and Psalm 95 both use the same image but in a plural manner. "*We* are his people, and the sheep of his pasture" (Psalm 100:3). "*We* are the people of his pasture, and the sheep of his hand" (Psalm 95:7). David's poetic use of the first-person possessive in Psalm 23 is more akin to the language of personal piety common in Christian prayers.

This exclusively individualistic language in Psalm 23 has been suggested as the reason the poem is seldom if ever used in the formal liturgies of certain (particularly Ashkenazi) Jewish circles. It is used instead at the third meal on Shabbat and, as in the Christian community, at funerals.

Jesus' prayer—the Lord's Prayer or the Our Father—is not a poem. The rich imagery of a Davidic psalm is missing. Jesus is into the prayer fast, goes directly to the point, or points, and exits stage left just as quickly. The language of the Lord's Prayer is lean, even sparse, and totally plural. It is also a straight shot from the first word of the prayer to the last. There is no subtle shift in direction, no misty-eyed imagery, and no nuanced language. Even the issues raised are clear and direct: authority, food, sin, forgiveness, temptation, and evil.

David's Psalm 23, on the other hand, is a restless sea of image-rich language. Metaphors shift, the point of view reverses field right in the middle of the poem, and David bounces back and forth between relishing God's comfort and cataloging some of life's harshest realities. David begins the poem talking *about* God. He ends speaking directly *to* God. He begins by describing God as a shepherd. He ends by making Him sound more like a wealthy Middle Eastern homeowner entertaining an honored guest. He first sees himself in a pasture drinking from a calm pool. He ends by seeing himself royally entertained, eating from a table and drinking from a cup. He starts the poem with an existential view of life in one of its most basic forms—a sheep farm. David begins by talking about today, right now, eating and drinking and staying alive in the face of danger. David ends by talking about spending eternity in a house, evidently a prosperous one whose inhabitants eat and drink well. Jesus ends His famous prayer by talking about God's kingdom. This is very Jewish. David ends by talking about being with God forever, heaven, and a mansion. This sounds very much like the language heard in Christian churches.

What a sublime irony. King David's poem explores the secret places of personal, highly subjective devotional thought. Without a doubt Psalm 23 is the favorite psalm in the Christian world. It may very well be one of the most beloved Bible passages in all of Christendom. Yet it was written by a Jewish king a thousand years before Christianity even appeared. Likewise, the Lord's Prayer, given by Jesus, cherished by Christians worldwide, is in the very center of the stream of traditional Jewish prayers.

The ancient and the contemporary, Jewish and Gentile, poem and prayer flowing together richly, become a river of healing power for individuals and the body corporate. The next chapter will explore the histories of these two men. If you think you're already familiar with them, try to see them again with new eyes.

Jesus and David speak for me.

They also speak for us.

3

A brief history of Jesus and David

It is truly remarkable how many connections there are between Jesus and David, both in the Bible and in church and Jewish tradition. Jesus and David were both of the tribe of Judah, and Jesus was a direct descendant of David. They were born in the same village a thousand years apart. Jesus frequently quoted David, and after the resurrection of Christ, St. Peter quoted David in his famous Pentecostal sermon. In fact, it is a Hebrew tradition that David was born and died on Pentecost, and a Christian tradition that the Upper Room and the Tomb of David were in the same place. Indeed, even today there is an active synagogue called the Tomb of David in the downstairs of the same building where Christian pilgrims go upstairs to commemorate Pentecost. It must be emphasized that these are traditional sites since the building that houses both was built by the Crusaders. That aside, the connection between the two is far more than mere interesting coincidence.

Jesus was frequently called the Son of David by the masses. Over both David and Jesus prophetic utterances were made when they were still very young. Both were kings and both were hated, feared, and hunted by an evil king with an evil spirit. Both were from common working-class families, and both spent considerable time working in the family business. Both went through seasons of heartbreaking betrayal and rejection, and both were surrounded by controversy until the hour of their deaths. Both died in Jerusalem, the city that David founded, which became his capital and is Israel's capital today.

There were also huge differences. David was a man of war his whole life. Jesus never spilled a drop of blood. David was a great warrior and a great man, but he would never have been called the Prince of Peace. David was a king and his writings have some prophetic elements, but he was certainly no priest. Jesus was all three: prophet, priest, and king. Jesus was crucified but David died in bed. David's throne was on earth; Jesus' throne is in heaven.

Jesus the Man

Jesus was a first-century Jew who never left the Roman province called Judea in which he was born. As far as we know, He never wrote a book or even a letter. We do know, however, He was literate. He could read the Scriptures to be sure, but we have no indication that He ever read anything else. Nothing He said seems to be a quote from any ancient source except the Bible. His sermons were simple, using homey stories and Scripture references as His only illustrative material. At the same time He was certainly aware of the geopolitical realities of His world. He made references to Caesar and Herod, for example, and to the various religious and quasi-political parties of Israel.

There is substantial debate relative to Jesus' and his father Joseph's profession, or more precisely, their trade. In the Greek New Testament, the word *tekton* is used to describe Joseph's work, the work in which Jesus was also trained. *Tekton* may be used to mean a variety of things including "craftsman" and "carpenter." Many think it would best be translated "builder."

The traditional and highly romantic image of Jesus' earthly father, Joseph, as a carpenter is probably born of European translators for whom carpentry was a common trade and in whose countries wood was a common commodity. I believe Joseph and Jesus were more probably stone cutters or masons. Some Western Christians find this idea oddly offensive. Wood was and is a precious resource in Israel. On the other hand, all of Israel seems to be made of stone. An animal trough, for example, would never have been made of wood and, indeed, ancient stone mangers are still to be seen in Israel. The problem is that a stone manger just doesn't look quite right on a Christmas card. Either way it is hardly an issue worth the debate. The point is that Jesus was a tradesman brought up in the home of a tradesman.

The same "Christmas card effect," as I call it, informs our mental images of Jesus and the people who were around Him. One would be hard-pressed to find a painting of an ugly Jesus, yet Isaiah makes it perfectly clear that he was "not comely that we should desire to look upon him." (See Isaiah 53:2.) We picture, instead, a strikingly handsome Jesus whose wavy auburn locks look as if he just came from the stylist, and a blue-eyed Virgin Mary dressed to vaguely resemble a nun. He may legitimately be called a rabbi not because of years of theological training but because he was a teacher, and *rabbi* means "teacher." The word itself derives from another word, *rav*, which means "master." That is the way a student might address a teacher of Torah. Jesus' followers most often used that very word, *Master*.

The Israel in which Jesus lived His entire life was occupied by a foreign power that eventually executed Him as an enemy of the state. Yet this charge was totally trumped up. He never spoke of rebellion against Rome. He urged the Jewish people to pay their taxes and to live a forgiving and nonviolent life. Though referred to by some modern writers as a rebel, Jesus was certainly not the typical rebel. He dressed like everyone else, worshiped as they did, and mostly ate the prescribed kosher diet of His people. For 91 percent of His life—thirty years of His thirty-three—He was an unknown and unsung peasant in a shabby village in an area of the country disdained by those in the capital. Yet in a matter of moments He went from quiet, hardworking anonymity to a brief, explosive life lived at the center of national controversy.

In that sense, there is a similarity between Jesus and David. Both burst onto the stage as instant sensations because of the miracle power of God. David's incredible victory over Goliath made him a celebrity in a moment. Jesus' miraculous ministry of healing made Him the most sought out religious teacher of His day, at least in Israel. Of course, people came to hear Him. They spoke of His teaching as having authority, and not like the scribes and Pharisees. Yet it was not so much reports of Jesus' teaching, as wonderful as it was, but word of His miracles that spread like wildfire. The masses wanted to touch Him, to be touched by Him, and to be healed by Him. They followed Him in throngs, crying out to Him, pleading with Him for deliverance from their diseases, and climbing in the trees for even a sight, a mere glimpse of the most famous rabbi of the day.

Jesus had no privacy except what He would carve out for himself in the dark of the night. He was so stalked by the public that He couldn't even eat without being touched, pawed at, argued with, and falsely accused. The multitude that surged around Him did not come to Him from clean beds in modern hospitals. They were leprous and diseased and demon possessed. Their wretched, cancerous sores oozed pus. Their stench was disgusting, and the howls of their demons scraped at the nerves of those around Him.

Interestingly enough, during the three years of His adult ministry, Jesus never lived in Nazareth, where He had lived His entire life. Instead, when His ministry was totally and violently rejected by His hometown, He chose Capernaum, a lakeside community in Galilee. This is actually quite a surprising choice, since there is no indication that He ever visited there before He made His home in Capernaum. Furthermore, it was a fishing community, and He was no fisherman. Yet somehow He felt instantly at home with the people around the Lake of Tiberias, or as we called it in Sunday school, the Sea of Galilee. There is no record that He ever went to Tiberias itself, the largest city on the lake, but instead crisscrossed the lake by boat visiting the small fishing villages perched on its shore, such as Migdol, the birthplace of Mary Magdalene.

Jesus in Jerusalem

His occasional visits to Jerusalem, Israel's capital city, were events of dangerous controversy and wonderful miracles. He cast out demons and healed the sick. What was worse, He sometimes healed on the Sabbath. It was in Jerusalem that He made enemies with virtually every word He said, and certainly with what He did. His enemies were not the Roman occupiers, who eventually executed Him, but the religious leadership of Jerusalem. He seldom passed up an opportunity to puncture their pomposity and ridicule their religious ostentation. He mocked them mercilessly, often even making priests, Levites, and Pharisees the absurd villains in His stories. In one of His most famous stories, a priest and a Levite are held up as uncaring and selfish while a Samaritan is made the hero (Luke 10:25–37). This was hardly a contrast designed to win friends among the religious hierarchy.

It was not that Jesus flouted the Law exactly, and He certainly did not preach against it. He simply refused to allow the Law or its powerful devotees to tyrannize Him or limit His ministry of healing love. He refused to be intimidated. On one very telling occasion a woman taken in the act of adultery was brought to Him. Her captors demanded to know what they should do with her. If He said to stone her, they knew He would have to deny His own spirit of mercy. If He did, He would be as compromised as they were and therefore no threat. If, on the other hand, He excused her sin or recommended they release her anyway, they knew they could stone Him as a blasphemer. He turned their trap against them, however, admitting that Moses' law called for her to be stoned, but requiring that the sinless one among them should start the execution. She walked away, but Jesus was doomed (John 8:3–11).

Perhaps His most meaningful miracle in Jerusalem was the healing of a blind man. Jesus made a mudpack for the man's eyes and told him to wash it off in the pool of Siloam. The man was healed miraculously but the temple authorities were furious (John 9). To them the message was unmistakable. *Siloam* means "sent" in Hebrew. Jesus was, therefore, announcing that He was sent from God as a well of healing and salvation.

Worse than that, He was doing it in Jerusalem within sight of the temple. While Jesus worked His miracles in the hinterlands of Galilee, He at least had the protection of geography. In Jerusalem, in the shadow of the temple, He was in the domain of His most dangerous critics, the priests and the Pharisees. Under the very noses of rigid and legalistic religious temple authorities, His risk escalated exponentially.

Jesus the Storyteller

Jesus' teaching style was simple and highly illustrative. Many have made the point that Jesus used stories to get His message across. It is actually more accurate to say He was a master storyteller with truth in every story. This teaching style is hardly Jesus' personal invention but a traditional rabbinical teaching method. There are whole books full of the stories of rabbis. Whereas Western fables tend to make the point bluntly, tacking on "the moral of the story is . . ." rabbinical stories usually require more of the listener. The hearer has to mine out the meaning. Instead of Aesop's proverbial declarations, the stories of the rabbis tend more often to say, "Here, listen to this story. Your answer is within. You may not see it at first, but what you are asking about is there if you have ears to hear." Likewise, Jesus seldom explained His stories to His listeners.

Modern writers and theologians tend to see this as nuanced wordplay by Jesus. They see His resistance to explain His parables as a way to avoid being trapped by His own words. In actuality it is not at all dissimilar to a traditional Jewish teaching style that is as ancient as the Jewish people themselves.

One of Jesus' most scathing stories is laced with devastating mockery. In it Jesus tells of two men who come to the temple to pray. One is a Pharisee whose so-called prayer is nothing short of pompous self-congratulation on a pure life. The other is a tax collector, that most despised breed of collaborators. The tax collector prays humbly in repentance and leaves justified (Luke 18:9–14). The sarcasm fairly drips from Jesus' lips. Reading such stories as this one, it is not hard to understand why the Pharisees and others wanted Jesus killed. It is hard to understand how He lived as long as He did.

There is even more to the story, however, than a denunciation of smug, self-satisfied religiosity. Jesus is also giving us an insight into His deepest view of prayer. Jesus makes it clear that real prayer is simple, humble, and honest. The tax collector's prayer arises from a broken and repentant heart. He does not try to bamboozle God with flowery speeches or high-toned religious language. His prayer, not the Pharisee's, is the one honored by the Lord.

Jesus' Private Ministry

The three years of Jesus' ministry, three tumultuous years of miracles and controversy and false accusations, three years of teachings such as no one had ever heard before, were the full extent of what we call His "public ministry." His private ministry was seen at close range by only a handpicked few. His closest friends and disciples, the twelve men we call the apostles, were the only ones who really knew about the private source of that astonishing public ministry.

They knew that He got up in the wee hours to be alone. Sometimes they awoke in the night and opened one eye just long enough to see Him slipping away from the dying embers of their campfire, and they knew He was going to pray. Remembering that John the Baptist often taught his followers to pray, they appealed to Jesus to likewise teach them. He gave them a model of prayer that had certain similarities to the prayer of the tax collector. It was simple, humble, and uncomplicated. The language is economical to the point of directness and utterly lacking in smug religiosity. This is the prayer the Lord taught:

> Our Father who art in heaven, hallowed be thy name.
> Thy kingdom come, thy will be done in earth, as it is in heaven.
> Give us this day our daily bread.
> And forgive us our debts, as we forgive our debtors.
> And lead us not into temptation, but deliver us from evil:

For thine is the kingdom, and the power, and the glory,
for ever.
Amen.

David the Man

From shepherding his father's sheep straight onto center stage in some of ancient Israel's darkest and most desperate military and political struggles, David was an Iron Age "child star" (1 Samuel 16–17). He was, however, one of the rare examples of that peculiar breed of adolescent celebrities who actually go on to great adult achievements. Early on, his family knew he was an unusual lad. Just how unusual they were not sure. The youngest by some years of all his brothers, David was made the family shepherd. Too young to fight in King Saul's army or work in more manly labors, David was sent to care for the family flock. This often meant long days and nights alone. His family hardly knew what to make of him when he occasionally came home from his shepherding duties with bizarre stories of heroically defending the sheep. His reports included killing dangerous predators such as lions and bears, and doing it with hardly more than his bare hands.

The Bible accounts do little to reveal whether his parents and elder brothers actually believed these reports. Even if they refused to accept the boy's stories as entirely accurate, his brothers at least believed enough to be resentful. It certainly did not help when the prophet Samuel arrived unannounced to anoint the youngster as "King of Israel." Why not the eldest of Jesse's sons? Why not any of David's older brothers? Why the youngest? Why this strange, lonely shepherd boy with his wild tales of killing lions and bears? Indeed, for the rest of his life more questions than answers would swirl around David like a hurricane.

Today some deny David even existed. Some claim he was a legend like King Arthur. Others view David as a folk myth, the Hebrew Beowulf, if you will, battling it out with Goliath, the Philistine Grendel. Yet the Bible is perfectly clear. David existed all right, and we actually know a great deal about him. We know his parents, his siblings, his extended family, and even his enemies. We know the era of history in which he lived, whom he followed to the throne of Israel, and who followed him. His descendants are recorded for generations after him, and the political and military struggles of his reign are described in graphic detail. David was no tooth fairy. He lived and reigned as king of Israel three thousand years ago.

A Man of Controversy

Even among those who readily acknowledge him as a very real historical and biblical figure, even among the Jewish people of today, David still can stir up a hornet's nest. I was writing in Israel, actually at an outside table in Tiberias, when an Israeli woman asked me what I was writing about. When I told her the subject was King David, I naïvely assumed she would be pleased or at least interested. Instead the vitriol of her response took me completely off guard.

"Why?" she demanded, making no attempt to veil her disdain. "Why write anything about that bloody man?"

"He inspires me," I said.

She looked totally confused by this answer. "Men!" she fairly snarled. "What could be inspiring about a man who destroyed everything and everybody he ever touched?"

I was amazed and to be honest, a bit amused. I wondered if she might not have blended the ancient king with some other man, some man in her own life perhaps. I wondered if his name, whoever he was, might even have been David. After three thousand years, David the King is still able to inspire men and enrage women. Loved, lusted after, admired, denied, written about, and hated—this was a man like few others.

David possessed three great gifts that, to a large extent, defined his life: an instinct for military success, a keen political mind, and a natural talent for music and poetry. This last, often overlooked in the shadow of stories such as the killing of Goliath, is actually his most enduring contribution. After three thousand years his poetry is still being set to music. Combined with his great and sustaining faith in the God of Israel, David's natural gifts and the supernatural favor of God became a single confluence of potent anointing.

His life was also filled with epic struggles, disastrous defeats, exquisite agony, and monumental achievements. David was not a perfect man by any means. For example, he was a failure in many of his personal relationships. David was bigger than life. His victories, celebrated in song by the women of his own day, are still being retold. His sins, likewise, were also huge. His scandals were public, embarrassing, and deeply wounding.

Somehow, though, David always seemed to bounce back. He was the original comeback kid. Only instead of coming back, David came back and back and back again and again. From the Goliath episode onward he consistently won in the face of incredible odds. Twice he won bloody civil wars that wracked his nation. Once he was run out of his own capital city and was forced to flee into the wilderness where years earlier he had eluded King Saul's murderous wrath.

In a great part it was this God-given resiliency, this wonderful determination and ability to bounce back, that made David the enduring leader that he was. There were multiple times in his life when quitting would certainly have been easier, might even have been a wiser course in the natural. That would very likely have been the course most would have taken. But David was definitely not most men. David discovered a grace in God that sustained him and kept him in the race. David confessed when he sinned, believed for mercy, and sought renewal. His age believed in a God of judgment. David believed in a God of restoration whose love would purge him with hyssop, cleanse his heart, and find him still useful, even after personal failures and political setbacks. David believed in a God who would not quit on sinful servants, and David became a man who would not quit on a merciful God.

David lived in an era of what might be described as a limited revelation of the character and nature of God. The God of Israel was viewed by most in David's time as a distant and fearful national deity, the God of the nation, of the Hebrew people, yes, but hardly an intimate friend, caring companion, and guardian shepherd. As much as any voice in the Bible, David's is one that reveals the very heart of God. Perhaps that is why David was called a man after God's own heart.

The Rise of David

A full and detailed discussion of David's extraordinary life would fill a multivolume set of encyclopedias. That is not the purpose of this book. It is important, however, that we at least consider the life context that produced the most beautiful poem ever written.

David was born in a small village called Bethlehem, about six miles due south of Jerusalem. His father, Jesse, was a farmer, and David took an active role in the livestock side of that farm, namely as a shepherd with Jesse's sheep. It is probable that Jesse also farmed crops, since Bethlehem, which means "house of bread" in Hebrew, was famous for its barley fields. David was also the great-great-grandson of a Gentile prostitute named Rahab, who had figured prominently in the Hebrew conquest of Jericho. David was, therefore, a farm boy with a suspect heritage who became the most famous Jewish leader ever.

Despite the bucolic nature of David's upbringing, remarkable events defined David's life. It could be said that they actually stole or ended his childhood in the same way that *The Wizard of Oz* ended Judy Garland's. The first of these is the surprising visit of Samuel the prophet to Jesse's house (1 Samuel 16). Perhaps *shocking* is a better word for the arrival of this mighty prophet to the village of Bethlehem. When the village elders heard that Samuel had arrived, they were terrified. The mysterious power that surrounded and anointed this mighty prophet was not to be tampered with, and they were afraid he had come with the wrath of God on his tongue. He reassured them that he was there on a mission of peace and went directly to Jesse's house.

God had commissioned Samuel to anoint whichever of the farmer's sons the Lord revealed as king of Israel. This was no minor matter since Saul still lived and reigned as king. For Samuel it could be seen as treason. For the man anointed, it could be a death warrant if Saul heard about it.

Samuel did not reveal his true purpose in the visit but told Jesse and his grown sons to purify themselves for a sacrifice. Starting with the eldest of the young men, Samuel inspected them all, expecting God to reveal the next king of Israel. Jesse proudly presented six of his sons, those that were grown. Samuel discerned it was none of them, and Jesse revealed he had a seventh son who served as the family shepherd boy. Samuel told Jesse to call David in from the sheep. When David arrived, Samuel anointed him before the eyes of his entire family, and basically from that moment on David was a child no more.

David vs. Saul

The second remarkable season of David's life unfolds in the court of the fallen King Saul. God must have a love for irony. When the Pharaoh in Egypt ordered all the Hebrew baby boys to be killed, God put the very one who would eventually defeat him, and free the slaves, into Pharaoh's family to be raised. Likewise, when God withdrew his anointing from Saul, he put the next king in Saul's palace and in his family.

Filled with demonic guilt, King Saul could not sleep. Wracked by torturous dreams and paranoia, the king searched for a musician whose music could calm his inner beast. Someone remembered that Jesse's son, David, was just such a skilled musician, and the lad was summoned from Bethlehem. David became Saul's night minstrel and armor-bearer, and the irony began.

What is without a doubt the most famous episode in David's life occurred during this period. There are people, millions perhaps, who do not even know it is in the Bible but know and cherish the story of David and Goliath. The basic story is a simple one. The perennial enemies of Israel, the Philistines, who were encamped near Saul's bivouac, had in their army a massive giant named Goliath. This man-beast taunted the Israelis daily with their cowardice and weakness. He demanded that the Israelis send out a champion to fight him, but no one willing to take on the job could be found in Israel's ranks.

Young David took on the job and killed the monster, Goliath. He won the right to marry the king's daughter and became an overnight sensation, a darling of the women and an idol of the army. However, he proved to be far more than a one-hit wonder. David was a natural military leader, a lethal killer of men, and a master strategist. This fueled Saul's not-so-latent paranoia, which turned rapidly to murderous hatred. After an attempt on his life, David was forced to flee the court of

Saul, and leaving his new wife behind, became a fugitive and an outlaw in the wilderness of Judea. Rags to riches and back to rags.

David skyrocketed from shepherd boy to the son-in-law of a king, then plummeted from celebrity to lonely desert brigand, and the third phase of his life began. At first David was alone, living in a cave, hiding in the rocky desert like a common criminal. Then others joined him—cutthroats, tax dodgers, malcontents, and runaways. This motley crew, fiercely loyal to David himself, and to nothing and no one else, became a feared light cavalry unit raiding Amalekite villages in the south of Israel. Their only trade was war, and they hired themselves out to their former enemies, the Philistines. Word of this spread throughout Israel, especially in David's own tribe of Judah, and his reputation as a fierce and resourceful military genius was only enhanced.

It was during this bloody period of David's life that his home base of Ziklag was raided by the Amalekites. Because David and his men had been raiding Amalekite towns and villages in the south, the Amalekites attacked Ziklag as revenge. The town was burned and all the women and children taken captive. When David and his men returned to discover what had happened, they blamed David and considered stoning him to death. Instead, David led his small army on a daring rescue mission and all the hostages were brought home safely.

Far to the north of David's town of Ziklag, in a disastrous defeat for the army of Israel, King Saul committed suicide. This opened the door for David's destiny. It was not quick or easy, but eventually the civil strife after Saul's death was resolved. Judah first, and then the rest of the nation, turned their eyes to David and he became the successor to Saul. He was crowned king, and the entire nation, even Saul's tribe of Benjamin, accepted him as the new and God-sent king.

David the King

The fourth phase of David's life was his career as king and nation builder. Rags to riches and back to rags and finally back to riches again. Incredible. In the final era of David's life, he experienced huge military and political success and horrible personal failure. He built the young nation a new capital city after conquering Jerusalem, but he could not build his own family. This last phase of David's life was marred deeply by bloodshed and scandal. It was also during this period of David's career that he got involved in what is perhaps the most famous love affair in history, his adultery with Bathsheba. His family was racked by incestuous rape, murder, disloyalty, and palace intrigue. At the end of his life, which was not a particularly long one, David had to rise from his deathbed to deal with one last coup attempt. Fulfilling his promise to Bathsheba, David placed Solomon on the throne and died almost immediately afterward. Solomon was anointed king and, as if that was all David was waiting for, he left the stage.

David was bigger than life. He was the greatest king ever to sit on the throne of Israel. He was a complex genius in politics, leadership, and war. There has hardly ever been a man like King David. His accomplishments were on a grand scale and his failures were tragic.

Having said all that, he was still a man after God's own heart. God loved David, and their relationship is the basis of major parts of the Bible. By the time of his death in Jerusalem, David's countrified childhood on the hillsides of Judea must have seemed to him like another lifetime. Between the elderly and fatally ill king he had become and the idyllic days of his youth lay wars and kingdoms and rivers of blood. Yet at the end of things, the most enduringly famous and universally beloved composition of this complex personality is a simple anthem to a loving God couched in the pastoral language of his long-lost childhood. This is what he wrote:

> The Lord is my shepherd; I shall not want.
> He maketh me to lie down in green pastures:
> he leadeth me beside the still waters.
> He restoreth my soul: he leadeth me in the paths of righteousness for his name's sake.
> Yea, though I walk through the valley of the shadow of death, I will fear no evil: for thou art with me;
> thy rod and thy staff they comfort me.
> Thou preparest a table before me in the presence of mine enemies: thou anointest my head with oil;
> my cup runneth over.
> Surely goodness and mercy shall follow me all the days of my life:
> and I will dwell in the house of the Lord for ever.

Part 2

THE LORD'S PRAYER AND PSALM 23

4

Jesus

Our Father who art in heaven

David

The Lord is

The most important words in both the Lord's Prayer and Psalm 23 are the first few, four in the Lord's Prayer and three in Psalm 23.

"Our Father who art . . ." In other words, "Our Father who *is* . . ."[1]

The Twenty-third Psalm begins with basically the same grand truth: "The Lord *is* . . ."

1. Please notice I'm not dealing with every verse in precise order. (For clarity, the only word I will change in the King James Version of the Lord's Prayer is *which* to *who*.)

God is. That is the greatest, most awesome, terrifying, healing, shocking, wonderful, thrilling truth ever encountered by humanity. God is. David emphasized this not once, but twice, stating categorically that "the fool hath said in his heart, There is no God" (Psalm 14:1; 53:1).

Once on the same day, in the same mail delivery, I received two anonymous deliveries, the senders of which obviously trusted in opposite views of what it means that God is. One was a letter, unsigned, of course, which was so vicious, so vituperative and bitter, that poison dripped from every word. The second was a beautiful new sport coat that was actually the right size and a color I particularly liked. It was also unsigned. Try as I might, I could not discover who sent it. I even called the store, whose manager told me he had been assured that particular customer would never buy from him again if he revealed the donor's identity.

In the box with the coat was a simple note, typed so I could not identify the handwriting: "You are doing a wonderful job. Your ministry has blessed me and my entire family. Receive this and be blessed."

The writer of the acidic attack note believed he was truly anonymous. The giver of the jacket knew that he wasn't. He knew that the God who is sees and knows all we are, think, say, and do. If that is not sobering to you, you have lived a better life than I. Which of us is not discomfited by the reality that whatever anonymity in which we may drape ourselves outwardly, nothing is hidden from Him? He is. He is and He sees. Everything.

On the other hand, it is liberating, albeit painfully liberating, at the point of honesty and confession. Because there is no hope of hiding anything from Him, there is no need to even try. There is no depravity, no dark corner of my soul that I can shield from Him, so I do well to just say it, to simply lay it right out there in front of His holy eyes, because all I am doing is acknowledging the sin I cannot hide from Him anyway.

He is. Just that. He is. Despite all the absurd denials of all the poor, sad atheists, regardless of humanity's ignorance, sin, and inhumanity, the greatest truth of all is that He is.

David's first three words in Psalm 23, as magnificent as they are, lack one great truth that Jesus of Nazareth adds with one great word. That word is *Father*, and it changes everything.

Jesus: "Our Father who art [is] . . ."

Yes, the Lord is. Yes, God is. Yes, God exists and sees all and knows all and is not fooled by all our puny efforts at anonymity. Yes. Then Jesus makes it wonderful. Our Father . . .

God is and He is our Father. Nothing else in either prayer, or in any prayer or in all of life affords us much hope without that great word.

"Our Father . . ."

Roll it around in your mind. The God who is and who sees is not the cosmic cop waiting for you to step out of line. He is not the great hockey referee in the sky looking for an excuse to throw you in the penalty box, or worse, disqualify you eternally. The God who is, is our Father. If both the Lord's Prayer and Psalm 23 ended right there, this would actually be sufficient truth to heal us all.

Several times I preached at an inner-city evangelistic outreach called the Minneapolis Soul Fest. The platform was set up in a blocked-off street. The banks of speakers were the size of the pyramids, and we blasted music at several decibels above the level where all the birds died. I would preach from that same platform. When seekers came forward at the invitation, the workers would kneel on the edge of that huge platform and pray with them. One young woman came forward and laid her forehead on the platform edge so that her hair shielded her face.

No one seemed to see her, so I knelt there with her myself.

"Would you like me to pray with you?" I asked.

"Yes," she said, without lifting her head.

"I will lead you in the words," I told her. "Just pray with me right out loud. Heavenly Father . . ." I began, but she said nothing.

"Miss, do you understand? I want you to just repeat what I say. Are you ready?"

"Yes," was her answer, but still she covered her face.

I began again. "Our Father in heaven . . ."

When she still would not follow, I asked her, "Is there a problem, miss?"

At this she raised her head, and for the first time I saw her poor little face. Her left eye was swollen shut and bruises like thick purple fingers stretched across her cheekbone. It was obvious that her split lip needed stitches and just as obvious that it was not going to get them.

Tears streaming across her battered face, she said, "Look, mister, I've got all the father I can handle."

When speaking of God as "Father," Jesus is not summoning all our painful memories of the way-too-human weaknesses of our earthly fathers. He speaks instead of a divine Father whose attributes are our hope and joy. He is never too busy for us, never too tired to talk, never too limited in knowledge or wisdom to be of any help, and He is never absent. He will never desert us, never disappoint us, never die, and never get sick or old or senile. His resources are never depleted, His love knows no limits, His power is boundary-less, and His grace has no frontiers.

Jesus added "who art in heaven" to comfort us. This was not to say our Father is distant, aloof, and far beyond the skies. The statement "in heaven" is not about distance or geography but character. Our Father is heavenly, of heaven, like heaven, pure, holy, utterly without any of the earthly sins, faults, and failures that have so often stood between us and even the best of our dads.

"Our Father who [is] . . ." That truth alone is more than enough, and without that truth, everything else will never be enough. That our Father is heavenly is, well, heavenly indeed.

5

Jesus

Hallowed be thy name

David

The Lord is

In chapter 4 we saw that Psalm 23 and the Lord's Prayer both begin with the simplest and most profound of all declarations of faith: the ultimate reality of God. David said, "The Lord is . . ." Jesus deftly weaves that great declaration together with the most comforting of all metaphorical revelations of God's true nature: "Our Father who art in heaven . . ." God is and He is our Father become together the greatest of all truths.

That being said, and said so simply, so beautifully as it is in the Lord's Prayer, Jesus moves us immediately to the next level, which is worship. If God is, and He is, and if He is our Father, and He is, then worshiping Him is the only logical, sensible, and reasonable response.

Leadership means to be good at leading. Statesmanship, then, seems rather obviously to define itself, as does churchmanship, craftsmanship, gamesmanship, and a host of other words that end with *ship*. What about worship? It means to be good at discerning what is worthy of adoration, and to express that discernment as praise. Worth-ship. Jesus' prayer establishes that right in the foyer.

When we begin by stating God's worthiness to be praised, even before we make a single petition, we make it clear that we understand the ground rules. The Lord is God and we are not. He alone is worthy of our hearts' praise, so worthy that even His very name is holy (hallowed). All inner healing is tied to a proper human-God relationship. When that perspective is out of whack, every mechanism of psycho-emotional balance becomes distorted. Spiritual confusion, the twisting and perversion of worth-ship, causes emotional diseases such as self-pity, self-absorption, and every other hyphenated sin.

The story is told of a deeply depressed woman who came to see a psychiatrist, seeking relief. After five sessions he wrote her a prescription.

"Go to Niagara Falls and check into a motel. For five days, all day except for meals, stand at the bottom of the falls and stare up at it. Contemplate its awesome power.

"Do this," the doctor said, "and I will see you when you get back."

She stared incredulously at the note before exploding in anger. "You quack! You absolute charlatan! I pay you a hundred dollars an hour for every session. And for what? For *this*?"

The doctor calmly explained the remarkable prescription this way: "I've seen you now for five sessions. I mostly listened and you talked without stopping for an hour each time. All you talked about was you. Your dreams, your hurts, your failures, and your guilt. All you need to get well is to see something bigger than yourself."

A restored perspective is among the most important ingredients in the prescription each of us needs to get well. His name is holy. My name is just a handle, a way for other folks to speak to me or about me, but it is just a name, not the very essence of me. I could even legally change my name and not really change who I am. Yet when Moses asked to know God's name, the Lord simply answered, "I AM." In other words, God is His name and His name is holy. He is holy and He is worthy to be adored.

Another necessary ingredient in the prescription of our healing is hope. A dear friend of mine, an Orthodox rabbi in Israel, pointed out to me that *Ehyeh A'sher Ehyeh*, which I and many others translate as "I AM," has been translated differently in Judaism, as "I WILL BE." This name for God speaks of hope. "I AM" the future, a new future waiting to make new in that future. In other words, when we reach tomorrow, "I AM" says "I WILL BE" there ahead of you. That is our hope.

We know He is to be worshiped. How are we to worship? That is the question. I think that many in the church, especially music leaders, do not realize how awkward singing is for many others in the church, especially men. One such man said to me that he dreaded the singing in church.

"My wife just seems to love it," he said. "I'm glad of that. I want her to love it. But I just can't seem to love it. I can't sing. I feel uncomfortable and to tell you the truth, I wish we could just skip the singing and go straight to the preaching. Then that makes me feel bad. I know I'm supposed to be blessed in worship. She is. She really is. She just puts her hands up and sings like a bird. It's beautiful. I love to hear her. Nobody wants to hear me even when I sing softly. It just doesn't do it for me.

I guess that means something is wrong with me, or at least, wrong with my faith."

"Maybe you have singing and worship confused," I told him.

He stared at me in frank astonishment. "Maybe I do. Aren't they the same?"

"Singing in church should be worship, but not all worship is singing. Why don't you try worshiping a different way? While everyone else is singing, you worship in a new way."

"How can I worship without singing?"

"When everyone else starts singing, close your eyes and repeat the Lord's Prayer. Then Psalm 23. Back and forth. Add any other Scriptures you want to, but start with those two. If you like, raise your hands like your wife does, but just close your eyes and pray the Lord's Prayer. With everyone else singing, it will require some pretty serious concentration. Focus is also part of worship, and with the whole church singing, you will really have to focus. When they are singing, you concentrate with all your might on the Lord's Prayer and Psalm 23. When they sing, you worship like that."

He agreed to try it—reluctantly, I should add—but he agreed. I talked to him some months later, and he was eager to share his experience. "In the first place, I am truly enjoying worship for the first time. My wife even commented how she loves seeing me worship. She thought I was singing, and when I told her what I was really doing, I thought she would just try to talk me into singing. Instead, she said that she thinks it's wonderful. She said she is going to try it herself sometimes. Now what do you think of that?"

"Imagine that," I said with a touch of ever-so-gentle sarcasm. "Worshiping in church. Who would have dreamed?"

I needn't have worried about the sarcasm. It was totally wasted on him.

"I know," he said in frank amazement. "Isn't that something?"

When we worship God, we begin to see that all the navel-gazing in the world will not liberate us from us. Between morbid self-pity on the one hand and narcissistic self-exaltation on the other, we find ourselves sick and stranded on the sandbar of wounded souls, unable to nudge ourselves off. Staring up at Him day after day, seeing Him in all His wondrous grace and grandeur, begins to lift us off the bar and put us back out on the sea of healing.

No purer statement of worship has ever been given us than this: "Hallowed be thy name."

6

Jesus

Thy kingdom come, thy will be done in earth,
as it is in heaven

Kingdom usually means the geographical area over which a king rules. Certainly there is that implication in the Lord's Prayer. Jesus' prayer may be seen entirely as a petition that God's borders be extended. Indeed, we know that at last He shall rule over everything. Every knee shall bow. Every tongue shall confess that He is Lord to the glory of God (Romans 14:11). There is coming a new earth and a new heaven (Revelation 21:1), and Jesus will be there not as rabbi or suffering servant, but as Christus Victor, our conquering monarch. Prayed that way, the Lord's Prayer is a plea for His soon return and ultimate victory. Evil will be finally and forever vanquished, and God's perfect will established in the new earth just as it is now in heaven. *Maranatha*. Come, Lord Jesus.

Interestingly enough, the phrase "on earth" (as opposed to "in" earth) is used in most modern translations of the Lord's

Prayer. "On earth" lends itself to this "final victory" view of the petition. There is nothing wrong with that. It is a perfectly wonderful thing to pray for. May His final kingdom come on earth. May rebellion be vanquished and may His will be done. Amen.

There is another possible application of this mysterious part of the prayer. In the King James Version, which I am using for this book, the Lord's Prayer says "in" earth. "Thy kingdom come, thy will be done *in* earth as it is in heaven." Indeed, the oldest English translations almost universally use *in*. While it is always dangerous to base your theology on prepositions, let us assume for a moment that *in* is the word closest to what Jesus actually meant. That potentially changes everything.

The more ancient of the two prepositions makes the petition sound decidedly more personal. The reason is that when I pray "in" earth it seems to change the meaning of "earth." Praying for God's kingdom "on" earth seems to imply on the globe, on *the* earth, planet Earth. Praying "in" earth cannot possibly mean inside the globe. The Lord's Prayer is hardly *Journey to the Center of the Earth*. Inside what, then? The answer may lie in the story of creation. All of us who are the sons and daughters of Adam are made of earth.

When we have in mind our common substance and origin, the first petition of the Lord's Prayer becomes a passionate personal longing. Now the prayer is not so much for Christ's triumphant return and the establishment of His millennial reign, but a heart's cry for inner transformation through total submission. Instead of a prayer for Christ's return to establish a new earth, I am pleading to become a new person.

Viewed and prayed in that way, the earth to be changed is not necessarily planet Earth, but the earth that is us. We are made of earth. "For dust thou art, and unto dust shalt thou return" (Genesis 3:19). We know this, but we hardly enjoy talking about it. The earth, which is us, can be changed. As Jesus said, "The kingdom of God is within you" (Luke 17:21).

The prayer now becomes

> *Lord, may your kingship be established in the earth that is me. May your will be done in my life. I am no angel, Lord, dwelling in the heavenly realm. I am me, a self living on Earth in an earth body. I am earth living on Earth. I am made of earth yet I long for your kingdom and your will to be done in my life. My kingdom has not worked out so well. May yours be established in this oh-so-earthen vessel. Doing my will has brought me nothing but frustration and failure. Now, O Lord, let yours be done. Amen.*

This is the aching desire of earth for heaven to come and live within. It might be said that it is a plea for a "little incarnation." It is not as modest a prayer as we might think. Absolute submission to the will of another goes hard against the grain of us, even if that Other is God himself. Our carnal selves, the gritty earth of us, want to pray, "My kingdom come, my will be done." In part, that is simply because our will is ours. Earth wants its own way. Selfishness comes easily to us. We have a knack for sin. I know I have never had to work very hard at being proud, independent, strong-willed, and stiff-necked. I have a gift for it. We all do. That is fallen earth's bent to sinning.

There is another reason that is less about rebellion and more about what we believe to be true about God's will. Years ago the late and deeply lamented Dr. Tommy Tyson spoke this into my life. I was a very young United Methodist pastor considering launching out into itinerate ministry, traveling from church to church and country to country. Telling my story to a wise and experienced veteran like Dr. Tyson was a real treat. At least I thought so at first.

"I don't want to do this," I moaned. "I just want to pastor my church, but I think God is calling me to this, very much against my will."

"Well, you're lying," he said with a good-natured laugh. It was always hard to take offense at Tyson.

"Why, Tommy," I said. "What a thing to say!"

"You are," he said. "You're not lying to me. You're lying to yourself. You want to do this so badly you can taste it, but you're afraid to admit it."

"I'm not at all sure you're right," I said. "But if you are right, why would I do that?"

"Because you're just like the rest of us. We think that God's will is like medicine. Unless it tastes bad it just isn't doing you any good."

Dr. Tyson was right, of course, as he always was. I did want to do it, and I was afraid to admit it. Furthermore, he was right about why we tend to make God's will seem unpalatable. The wonderful truth is that God is a good and loving God, and His will for us is good. Always. We need not fear to pray, "Thy will be done." That simple phrase of only four words is the essential key to happiness. I cannot pray myself into a life free of all pain and suffering. I can pray myself under His kingship and into His will, and there I find a place that is safe from all the pain and misery that my will unleashes upon my own life.

A young minister shared with me his newfound peace of mind relative to his place of service. He talked with me about his struggle to be happy where he was. There had always been a turmoil within him, an inner warfare to give his best where he served, yet always longing for something more or someplace different, bigger mostly. I told him this had been a lifetime struggle of mine and that I was impressed he had found victory at so young an age.

He said that none of this meant he could not gain higher ground. He was willing to take on more responsibility. He said that if God wanted him to lead at a higher level he was willing to step up. What he had found, he explained, was the ability to be at peace where he was instead of being in constant turmoil about advancing his own future. Now, he said, he was willing to let God choose the place and set the pace.

I told him that what he was describing is called contentment and that it is a work of grace. I reminded him that our soul's contentment is found in the soul of the Lord's Prayer: "Thy kingdom come. Thy will be done." That is the truly contented prayer of a truly restored soul. I have spent so much of my life surrounded by young people, and they spend so much of their lives desperately trying to discover the will of God. I understand this, of course, but it can also have the effect of draining the contentment out of life. Modern Western culture so venerates drivenness that it is a miracle if anyone ever finds contentment. Contentment comes to the career-minded and driven who can pray, "Thy will be done."

This, then, is the heart of the Lord's Prayer. Prayed over and over again, multiple times a day, for 21 seconds each time, it will change *us* forever and change *our* forever. It might sound like this:

Father,

Be the King of my life. May my whole life be yours to rule, as your kingdom, as your possession. Be the King of my entire self. Be the King of every wayward part of me, every lustful thought, every shred of hate and hurt and fear until your kingdom comes in me. I surrender all the menagerie of wickedness inside of me and I pray that your kingdom will come in its place.

I pray for your will to be done in the earth that is called me. Your will, your call, your plan, your timing, and your way. I know your will is better than mine, better than anyone's, and I am not simply submitting. I plead for your will in me. I pray for your will in the earth of me.

7

David

The Lord is my shepherd

Jesus

Our Father

How utterly intriguing, knowing what we know about David, that, in his most famous psalm, he used the image of a shepherd to express the caring Fatherhood of God. Jesus said, "Father"; David said, "shepherd." Both are metaphors of a strong guardian, a loving watchman whose eyes are on his own in genuine protective concern. Even so, it is interesting to remember that Jesus spent His early days in a shop in a small town, working in close intimacy with His earthly father (or stepfather, more precisely).

The lonesome hillsides of rural Judea were David's youthful workspace. Roofless but for the canopy of space, it was there that David, alone with his charges, the sheep, began to contemplate who God was to him. Jesus saw God as Father. David envisioned God as his Great Good Shepherd.

Look closely at another interesting contrast between the Lord's Prayer and Psalm 23. Jesus said "our" Father. David said "my" shepherd. Clearly this is because of the different purposes of the two prayers. Jesus was teaching us how to pray. David was rather allowing us to eavesdrop on his prayer. Jesus' prayer is more theological, teaching us from the very first two words who God really is—our Father.

Jesus' use of the word *Father* in the Lord's Prayer is hugely important. His use of *our* is also significant. *Father* tells us much about God. *Our* tells us much about us. We are in this together and we are in this with Jesus; God's firstborn Son, Jesus, is including us in sonship. By saying "our Father," Jesus makes it clear that we are in the family. The healing in those two words is incredible if we will just hear and believe.

While I was preaching at a church in the South, the pastor asked if I would pray with a woman for healing. The three of us sat in his office as she told of her battle with multiple illnesses, including migraine headaches, which she said were the worst of the lot. They absolutely crippled her life, she said. They were painful, devastating, and chronic. She could not even hold down a job, and her marriage was in ruins because of these horrific headaches. The pastor anointed her with oil. We prayed the Lord's Prayer and were about to pray for her healing when into my mind came a sort of "mental image." I am not entirely willing to call what I experienced a vision. In fact, I'm not all that sure what others mean when they say "vision." What I saw was more like a graphic thought, as if one might think of a horse so intensely that the picture of it "appears" as a thought. This, however, was so clear and so unbidden that I thought it might be from the Lord.

What I saw was a young girl, perhaps nine or ten years of age. She stood on the small back porch of a house with her little fists clenched against her chest. Tears streamed down her face, which was contorted in pain. I saw her so clearly that what she was wearing even made an impression on me. It was a pretty blue dress with what looked like a white lace collar.

"Now, before we pray," I told her, "I want to share with you what I just saw in my mind's eye. I do not know for sure if this is from the Lord or if it will have meaning. Only you can know that. If it means something to you, tell me. If not, we will let it go immediately and pray for your headaches."

I told her about the little girl, about her tears and the anger or hurt so apparent on her face. I also told her about the blue dress with a white lace collar.

"I know exactly what that is," she said, her voice rising in volume and intensity with each syllable. Tears were welling in her eyes as she spoke. "I am the youngest of six children. The others were all boys. The next youngest was ten years old when I was born. I knew from earliest childhood that I was a mistake. My mother never loved me and never wanted me. Do you know what it's like to know every day of your life that your own mother hates the day you were born? Do you? On my tenth birthday I got two presents. One was a blue dress with a white doily collar that the neighbor lady gave me because she was sorry for me. I put it on and wore it because it was pretty, but actually it made me sad because it was not from my mother.

"The other present was a birthday card from an out-of-town aunt. In it was a ten-dollar bill. My mother snatched this out of my hand, saying, 'What does a ten-year-old girl need with ten dollars?' She handed it to my twenty-year-old brother, and I jumped up and ran out to the back porch."

With this the woman closed her eyes, clenched her fists against her chest, and screamed pitiably, her voice actually becoming that of a child. "I hate you! Do you hear me? I hate you!"

The pastor and I watched this outburst in amazement. Suddenly she opened her eyes and stared as if seeing us for the first time. Then she said in a soft voice, "Come to think of it, I've been pretty much sick my whole life since that day."

When we say to each other, "You make me sick," it can actually be true. That very day she began a journey of soul restoration, which has continued through the years. It began with the Lord's Prayer. First forgiving her mother, then forgiving God, and finally herself. It continued through discovering her Father's adoptive love was greater than her mother's wretched woundedness. She discovered that her mother was a hurting person and that hurt people hurt people. She experienced a gradual but total deliverance from the migraines. As her soul was restored, so was her health, and finally her marriage.

Many spend their entire lives drinking from toxic rivers of rejection rather than from still waters of healing acceptance. If the Father of lights has welcomed me in, who can banish me to the darkness outside? If the Son has taught me to say with Him, "our Father," then it must mean we, Jesus and I, as well as all believers everywhere, share a common Father. If Jesus says I should say "our Father," it must be because I have been accepted into the family. That being the case, who can ever reject me? Rejection is swallowed up in acceptance, loneliness in familyhood, and orphanhood in adoption.

David takes that truth and makes it deeply personal. David says "my" shepherd. If we are to find the sweetest comfort in the Lord's guardianship, it must become personal. I have always been confused by folks who find offense in the phrase "my personal Lord and Savior" as if it meant mine and mine alone. Since God is "our" Father, He must therefore be "my" Father as well. My Father. And my shepherd.

As a graduate seminary student years ago, I took a course in hymnology. As I remember it, I had to satisfy a requirement in music, and hymnology was the only and best place for the tone deaf to hide. In one lecture the professor quite lost himself in a rant about how he hated the words to certain hymns. One old hymn in particular bore the brunt of his attack. He savaged the words as being cloying and decried its "subjective romanticism," whatever that means. He despised, actually despised, the way it made God seem to be someone's personal friend or even lover. He further said he detested the arrogance that would dare to claim that no one has ever experienced the kind of intimacy with God that the writer had.

I leaned forward in breathless horrified expectation, waiting to find out the name of this musical monstrosity so as to never sing it again. I was flabbergasted when he revealed the hated hymn. The words he so thoroughly denounced were those of Charles Miles's sweet old song:

> I come to the garden alone
> While the dew is still on the roses
> And the voice I hear falling on my ear
> The Son of God discloses.
>
> And He walks with me, and He talks with me
> And He tells me I am His own.
> And the joy we share as we tarry there
> None other has ever known.

What that professor failed to understand was that Miles was not claiming to know God as no one else ever has. He was saying no other relationship can lend the joy to life that comes from intimacy with God. Perhaps the professor did not understand intimacy itself, at any level, human or divine, let alone intimacy with God.

David, for all of his weaknesses and failures, did understand intimacy with God. In fact, his words bear a striking similarity to the much maligned Charles Miles'.

> Yea, though I walk through the valley of the shadow of death,
> I will fear no evil: for thou art with me.
>
> —King David

That sounds a lot like:

> And He walks with me, and He talks with me
> And He tells me I am His own.
>
> —Charles Miles

Jesus the rabbi said, "Our Father." David the king was certainly no rabbi. He was, among many other things, a gifted poet. David's Twenty-third Psalm is not telling us who God is, but how who God is makes David feel. Jesus speaks of our relationship with God in terms of a father and his children. Out of his bucolic childhood, David uses a different metaphor, that of a shepherd and his sheep.

David's willingness to call himself a sheep is not exactly self-exalting. Having spent his early life around sheep, David must have known that sheep are among some of God's stupidest and most defenseless creatures. Sheep depend upon someone, namely their shepherd, to guide them, to tell them where to eat, to show them where to sleep, and even to get them to a place where they can drink. The shepherd must fight for them and defend them against predators at some risk to himself. Sheep cannot manage to find their own way from a worn out, depleted pasture to fresh grass.

What a blessing is ours in cobbling together the somewhat disparate metaphors employed by David and Jesus. When we look at them together there is no contradiction. Hardly. Instead, I can now see that God is my Father-Shepherd, and my

Shepherd-Father. He loves me as only a father can and leads as a shepherd does. In the two metaphors of God seen together, we discover a lovely revelation of who He is. We also see a beautiful picture of who we are. We humble ourselves, rejoicing just to be sheep in His sheepfold, guarded by His strong hand and provided for by His tender care. He responds by saying, "Yes, you are the sheep of my pasture, but far more than that, you are the children of my household."

8

David

I shall not want

There is a difference between want and need. Though it is translated "want," in the first verse of Psalm 23, David is most probably dealing with the issue of "need." St. Paul speaks to the same issue in Philippians 4:19: "My God shall supply all your need according to his riches in glory by Christ Jesus." The great apostle is reminding us that we can trust God to meet us at the point of our need. Some have refashioned this verse to mean that God will supply all they could ever want. That perverts the text and may lead to all kinds of error and excess.

One man even told me that God wanted him to leave his wife for his lover. He twisted two verses of Scripture in a most convenient way, using Philippians 4:19 (above) and Psalm 37:4 to justify adultery, desertion, and remarriage. Psalm 37:4 says, "Delight thyself also in the LORD: and he shall give thee the desires of thine heart."

"My wife is no longer the desire of my heart," he said. "I need this woman. Not want, but need. God has put a desire for her in my heart and a need that He will meet."

No amount of explanation or exposition on the real meaning of those two verses would dissuade him. He had the whole story and his own heart so twisted up that he was absolutely blinded to the truth. He intended to leave his wife for his lover and he eventually did, using Scripture to salve his conscience, that is, if he still had one.

It is not God's perfect will for His children to languish in penurious deprivation. Poverty, hunger, and want in that sense are never the will of a loving and good God. He is a God of blessing. He enjoys blessing His children. Genesis 22:17 says, "In blessing I will bless thee."

David's declaration of faith is therefore a good and pure statement of God's dependability. David is simply finding another way of saying, "God will take care of me."

But "I shall not want" in no way means I will never have to do without anything I want. I am made of earth, and that earth raises its ugly head ever so often. I have, in my own life, wanted things, wrong things, things that could hurt me and others. I have proven to myself my seemingly inexhaustible capacity to lust for the baubles and pleasures of earth. There is something inside the earth of us that is bent toward wrongful wanting. Putting that to death is not an event but a long and painful process. Which of us has not stumbled along the way? Why? Because we want stuff. David wanted stuff. Bathsheba, for example. She was not God's will for David, nor was David God's will for her. Their wanting was the cause of so much sin and suffering that the story is still a living cautionary tale after three thousand years. "I shall not want" cannot be construed to mean that God will give me everything my sinful heart could ever desire.

Furthermore, there are also things that are not, in themselves, bad for me, but the earth of me needs limitations. Have you ever walked through a store with your children and heard them tick off the items without which they simply could not live another day? There were times when my wife and I told our children no about things we could have afforded, things that were not even bad for them. We did this because it is not good for us to have everything we want immediately when we want it. Sometimes not having things, or not having them now, is good for us. A life without limits becomes a life without maturity, and that is never the will of God for me.

God is a good God. His will for me is good, and He does not will for me to live my life in grinding poverty. He does not will that my children suffer hunger. God is a God of abundance and mercy and generosity. He teaches me to live in contentment, but He does not oppress me with want.

9

David

He maketh me to lie down in green pastures:
he leadeth me beside the still waters

Sheep are so nervous and timid they will hardly lie down unless the shepherd is visible and on guard. And they will not drink from live water. Evidently flowing rivers and rapid brooks are terrifying to them. Sheep will only drink from standing water such as a pool or a pond. Some have claimed this is because of their thick wool. If they fell in, it would be like trying to swim in a heavy overcoat. Be that as it may, sheep need a shepherd sympathetic to their fears and insecurities, one who will guide them to still water.

"We do not have a High Priest who cannot sympathize with our weaknesses" (Hebrews 4:15 NKJV).

Some years ago I did some prison ministry in the federal penitentiary in Atlanta, Georgia. During that time I became friends with a man named Eugene who had killed two people in a bank robbery. In prison he became a Christian and was part of the group I worked with. Our friendship was a blessing to me in many ways. He was a most harmless-looking chap in his mid-fifties, a bit paunchy and graying fast. I could hardly imagine that he had ever been capable of such a heinous crime.

"I'm a lifer," he once said to me. "Without parole. Can you imagine what that feels like?" His tone was not argumentative but straightforward and inquisitive, like a reporter at a press conference.

"No, I don't think I can," I said. "I've never been in prison except to do ministry, and I always get out when the service is over. I cannot really understand what you're experiencing, and I won't insult you by saying I do."

He studied my face for a few seconds before he spoke. This time his tone was more of sad resignation. "Well, at least I appreciate your honesty. Nobody knows what this is like. Nobody."

"Somebody does. Jesus does, and that's not just preacher talk. Look at His life story. He spent the first night of His life with His unmarried mother in a rented garage and His last night all alone on death row."

"I never thought about it like that."

"Well, do think about it. He asked His Father God to let Him out of the execution and allow Him to go free, but the answer from heaven was silence. Ever have that experience?"

"Yes, I have," he said. "Often. But I'm really surprised that Jesus did. I'm a Christian. I know He died for me. I think about the cross sometimes. That was much worse than any needle in the arm."

"Yes, it was worse."

"Did He have to do it?"

"He didn't have to do it. That's what made it so wonderful. He had a choice. He pleaded with God to be excused from the torture and more importantly from the horror of crucifixion.

Jesus knew that was God's will for Him, but He did not have to do it. He chose God's will and not His own."

"Are you saying Jesus was free to choose?"

"Yes, and He struggled with it. Until He sweat drops of blood. But in the end He chose God's will. Nobody took His life from Him. He laid it down. We have to do the same thing. If prison is God's will for you right now and you choose it, then you are free because *you* chose, not the courts."

"In other words, if I do what Jesus did, if I lay my life down, no one can take *it* from me."

"That's how it works. Choosing God's will is the only way anyone gets free. Your will is to be free from prison, but God has revealed to you, in no uncertain terms, that for right now prison is His will for you. Maybe for the rest of your life."

"I don't want to die in here."

"Of course not. Who would? But if you choose His will and not yours, you are free. You're just free *in* prison, not free *from* prison."

We talked along these lines almost every time I saw him, and we exchanged quite a few letters on the topic of God's will. Most of them centered on the Lord's Prayer. One of them is very precious to me.

Dear Doc,

I've been praying the Lord's Prayer just like I promised you. I remember when you said Jesus knew how I felt. What you didn't tell me was that the more I prayed, [the more] I would know how He felt. I see now you were right that the key verse is "Thy will be done." But do you see that it's not just His will but His kingdom? I've prayed that prayer a thousand times and now I see myself as not so much in prison as in His kingdom because I'm in His will. I may never live another day on the outside, but I am not in prison. I am in His kingdom. If I am to go from this steel and concrete hell straight into heaven, it will be because it was His will, not mine and not the DOJ.

You admitted you don't know how this all feels to me. You also told me that Jesus does. When it's crazy in here, which it is almost all the time, He leads me beside still waters because He knows how I feel.

Your friend,
Eugene

10

Jesus

Forgive us our debts, as we forgive our debtors

Now begins the prayer for inner healing. Wholeness is possible in my life only to the extent that I experience His forgiving love both as recipient and grantor. In His prayer, Jesus the rabbi leads us to acknowledge first that we need forgiveness. This outrages our proud flesh. Humility and confession come to the sons and daughters of Adam with great difficulty.

"What have you done?" God asked Adam and Eve in Genesis 3.

Their response was to blame each other rather than ask for forgiveness. "Eve did it. The serpent did it. The devil made me do it. . . ." Well, you get the point.

There is some comfort, I suppose, in the plural nature of the prayer. Forgive *us our* sins. We all have sinned. We all need forgiveness. We all need it every time we pray. All of us. Still, I am in there somewhere as an individual. I will stand before Him alone at the end of things. I'd best practice now. The more I pray the Lord's Prayer, the more the plural sound of the language actually becomes first-person singular in my soul. *Forgive me of my debts.*

Thereby hangs the tale. If my own forgiveness must become singular, and it must, granting forgiveness must also be mine and not just ours. Jesus makes it painfully clear that receiving forgiveness is tied directly to granting it. Maybe we should pray it this way:

> *Lord, forgive me of my sins only to the extent to which I forgive those who have sinned against me.*

All inner healing begins right there. None of us get very far along in life without being wounded. Some of our wounds may seem like mere scratches to others, but they are painful enough to us. Other wounds are horrible, ghastly attacks on our inner selves. These hurts and humiliations pile up on the floor of our souls year after year, and only one thing will clean away this dreadful detritus. Forgiveness.

I prayed with a bitter, hate-filled deputy sheriff to forgive his daughter's murderer, and I witnessed a miracle of grace. It was a truly powerful miracle, but it was not easy to watch. His muscular lawman's frame shook like a teacup in an earthquake. He cried out like a child in a bear trap and wept pitiably. Finally, by God's grace he was able to forgive his daughter's murderer. When the storm broke and he came through, his healing began in earnest and almost immediately. Can you imagine this: The next day, he and his wife drove down to the state penitentiary to meet with their daughter's murderer and begin the next agonizing step in their own healing and in the murderer's.

In chapter 2 I mentioned a World War II veteran who used the Lord's Prayer to find peace. This part of the Lord's Prayer on forgiveness was one of the keys to his healing. We prayed for his forgiveness. We prayed for him to forgive those enemy soldiers. We even prayed for him to forgive God. He really struggled with that idea. Many people do. It's not that God needs our forgiveness. That would be blasphemy. It's that we must release God from any subconscious belief we have that He is indebted to us to run a better universe. He does not need our forgiveness, but we cannot live free unless we forgive. That elderly veteran and I prayed through all that just using the Lord's Prayer.

Jesus frames the question of forgiveness in terms of a debt. To forgive a debt means to mark it off, to cancel it, and release the debtor. When we forgive, we give up hope of repayment, financial or even emotional. In other words, part of forgiveness is declining to sulk and emotionally punish those I have "forgiven."

That includes myself. Forgiving, I am forgiven. I dare not hold over my own head that which God himself has removed. Many think it is a statement of true remorse to say, "I know God has forgiven me, but I can't forgive myself." It is actually a confession of unfathomable arrogance. Am I then claiming to be a better, higher, more demanding judge than God is? God forbid. I must accept His forgiveness and live in the joy of it without the dark and dreary fog of self-loathing. Forgiven is forgiven.

There is a caveat, of course, which is that I cannot demand my emotional pound of flesh from others. It is unimaginable that God might greet us at heaven's door with, "I guess I forgive you. I suppose you can come in, but don't come near me." Or with a pout on His eternal face, imagine that He crosses His arms and says, "Okay. I forgive you, but I want you to know how much you've hurt me." Then imagine that He keeps bringing it up, reminding you of it, eon after eon after eon. That is a vision of Satan, not God the Father.

The Lord's Prayer guides us into full forgiveness, that place where we, freely forgiven, let forgiveness flow out through us to others. Unforgiveness is so destructive, so toxic that it will poison our inner selves utterly. No enduring inner health is possible where unforgiveness is harbored. The Lord's Prayer prayed repeatedly with sincere meditation, over and over and over again, is the medicine the bitter soul needs.

The more commonly prayed version of the Lord's Prayer uses the word *trespasses* rather than *debts*. It is an important word. One meaning of *trespass* is wrongdoing or sin. Another, the more usual and modern definition of *trespass*, is to enter into an area to which you have no legitimate right. Trespassing is quite simply wrongful entry. This usually implies wrongful entry upon real property, but I have come to see that it can mean wrongful entry upon someone's person, life, or privacy.

The wife of a pastor helped me to see that. The board at her husband's church was invasive and accusing. They found out that she and her husband had been through counseling for issues in her husband's life, and the board made a wrongful entry. They made it all unnecessarily public. She said, "They intruded into our private pain. We had gone through hell by the time they found out about it; we had moved on in our very difficult process of healing our marriage. They dredged it all up, went back to it and dug it up, and didn't even care that we were way beyond it. They just plain trespassed on the lawn of our lives."

Frankly, I had never considered that aspect of trespasses in the Lord's Prayer. Looked at that way, it might read like this:

> *Lord, we have all gone places we had no right to be. We trampled on people's lives in the process. Forgive us. We also forgive those whose unlawful entry trampled on us.*

When I explained that definition of trespasses to a rape victim, she wept bitterly. "That's it," she wailed. "I didn't know how to say it. I was unlawfully entered. I was trespassed against."

That was the beginning of her real work. Seeing what others have done to us, seeing it for what it really is, starts us on the journey. That is exactly what it did for her. But forgiveness is the key, and it is the most difficult part of inner healing. The more egregious the trespass, the more terrible and gut-wrenching the work of forgiveness.

Both of those women were trespassed against. One in her life and marriage. As she put it, "That board walked all over our private pain." That board also trespassed on that couple's healing process. The other woman's body was trespassed upon in a violent, unlawful invasion to say the least. The first key to healing is putting words to it, calling it what it is, *trespassing*. Now the hard prayer work of forgiveness can begin because I know *what* I'm forgiving. It is difficult to forgive what I cannot even bear to name.

One young man who was violently molested as a boy suffered horrible nightmares. He had suppressed the memory, and in counseling it surfaced in an unpleasant, deeply distressing rush. He had struggled on and off with nightmares throughout the years, but the counseling actually seemed to make them worse. In fact, for some time it seemed to make everything worse. He could not seem to make much progress and began to wonder if bringing it to the surface was helpful or hurtful. The place where he hit a wall in every session was calling what happened to him by its name. Calling it *rape* was abhorrent to him. In his mind only females were raped. If he, therefore, called it *rape*, he brought an intolerable confusion into his own soul. The terrible, painful truth he confronted was that soul restoration begins with reality, not with denial or suppression.

The first time he was able to call it what it was, he experienced a soul-wrenching turmoil, but it was also the day his healing began in a new way. As is true with many youthful victims, he also struggled to sort out how much he participated at the beginning. What part did he play? Did he have any guilt in the situation? These questions all had to be confronted. It was a terrible experience for him, but absolutely essential. Finally, not immediately, but after some considerable time, he was able to pray the Lord's Prayer over the incident, finding forgiveness and allowing himself to forgive. Seeing the terrible incident for what it was, calling it what it was, proved a painful process for that man. Finding and granting forgiveness was no less painful.

Forgiving such a thing is seldom an event. It is a process, the long, hideous wrestling match of the soul. At the end of a year working with the Lord's Prayer, he experienced real progress. He searched through what parts of the whole horrible sequence of events were his decisions and when it became force over which he had no control. It was the kind of wretched soul work that is painful even to watch. Finally, not quickly, but after months of work, he came to the place where he could pray the Lord's Prayer over the entire incident, over himself, and even over his attacker.

That is the place where real inner healing happens. If anyone has trespassed against you, name it for what it is. Say it, even if it hurts you to say it, because saying it is important. Now you can begin the work of forgiveness. It won't come easily, but God will give you grace. Forgive and keep on forgiving every time you pray the Lord's Prayer, and healing will come.

11

David

He restoreth my soul

David knew plenty about those seasons of life in which a soul needs to be restored. Following his terrible failure with Bathsheba, which by the way included not just adultery but a cover-up conspiracy and murder for hire, David's soul needed to be restored. After the Bathsheba episode, David's soul was wounded by his own sin, public embarrassment, deep personal shame, and a guilt-ridden conscience.

Ziklag was a very different kind of wound, but my suspicion is that when it was over his soul needed restoration. As we discussed in chapter 3, before he became the king of Israel, David was the leader of a band of very dangerous outlaw raiders based in the town of Ziklag. While David and his men were away, the Amalekites attacked and burned Ziklag, taking the wives and children of David and all his men as captives. David's small but lethal guerrilla army blamed him and nearly stoned him to death. The Ziklag chapter turned out well, with the rescue of all the hostages, but that kind of brutal rejection, not to mention such a close brush with death, can leave a scar on anyone. David's soul may have needed a touch of restoration after Ziklag.

Far worse than the Ziklag story was the rebellion of his own son. Absalom's rebellion was not the typical teenage tumult. It was an armed civil war that David very nearly lost. It was publicly humiliating and deeply wounding relationally, and it ended with David struggling to cope with a crushing load of grief and guilt in the midst of what should have been a glorious victory. David knew all about a soul in need of restoration.

The soul is the psychological self, the inner bank of emotion and thought and memory. When all that is damaged by life, including and especially self-inflicted wounds, the process of restoration can be long, slow, and very nearly as painful as the wound. In fact, the wound, no matter how horrible, is an event. The healing is always a process. Even if a miracle is received, there is still a process in every healing, especially inner healing.

Life chips away at my soul. Piece after tiny piece falls like dust to the floor. Then come those truly awful blows, those traumatic explosions that can crack a soul like a rock cliff burst open by dynamite. This daily damage followed at what appear to be strategic intervals by life's more devastating detonations can deeply scar a soul.

What can heal a soul so damaged that the outer life in turn damages all it touches? David laid the only hope for that kind of soul restoration solely at the Lord's door. The powerful prescription that can heal a wounded soul is prepared only in heaven's apothecary. David said, "He restoreth my soul." He forgives us and, according to the Lord's Prayer, summons us to forgive others. That is the essential key to all soul restoration. He also calms us, comforts us, and gives us peace. Charles Wesley said

He "charms our fears" and "bids our sorrows cease." That's soul restoration. Like a soothing balm He massages His holy ointment into all the dry, cracked wounds and abscessed sores that leak a dark and deadly poison into our inner selves. Others, life, history, and I myself conspire to ruin my soul as allies of destruction. God needs no allies to restore it.

He restoreth my soul.

I wonder how many thousands of times now I have said that simple phrase, repeating it over and over again, believing God for it to be true for me. Not just that He restores souls. Not just some souls, somewhere, but mine. David testified that God restored his soul. I needed to know that truth experientially for myself. He restores *my* soul. How marvelous it was to discover, crawling along the lonely corridors of pain, that He really does restore souls. Even mine. He restored my soul. If God could restore David's soul, over and over again I might add, I believed He could restore mine, and He did. If He could restore mine, He could restore anyone's.

12

David

He leadeth me in the paths of righteousness

Jesus

Lead us not into temptation

For the second time in only a few verses David speaks of God's leadership. As a king, a military man, and a politician, leadership was important to David. He saw the Lord as his leader, not his drover. The distinction is not a mere shade of difference. David says God is not behind me lashing me forward, but ahead of me guiding me with His own presence. The first reference to leadership is about water, still water to be precise. The second is about righteousness.

Dr. Steve Greene, my one-time pastor and colleague, used to teach that righteousness is "right thinking." In other words, if I will follow where God leads me, it will change my thinking from wrong to right. Still another way to say this is that God is always leading me along the paths of healing, and that includes my mind. He wants me to think right and doesn't just tell me to do it. He leads me there.

Now some may say righteousness does not mean right thinking but right living, or holiness. The Bible says, "As a man thinketh in his heart, so is he." (See Proverbs 23:7.) In other words, behavior follows thought. If I think right I will live right and vice versa. The darkest moments in my life all began as thought—wrong thought. Therefore, the way back had to be through the paths of right thinking.

One interesting note on this passage is that David does not say "path" but "paths" of righteousness. God wants us to experience right thinking in all the diverse pathways of life. Not everyone will walk all the same paths, but on whichever paths we walk there is a right way to think. When the Lord leads us, soul restoration, wholeness of mind, becomes the very path we walk on.

The Lord's Prayer also speaks of leadership, but with quite a different point of view. Jesus teaches us to petition God to lead us away from temptation. Again, just as with David's Psalm, there are two ways to think about temptation. One is the more common understanding:

Lord, lead me away from those things that might tempt me to sin.

While still a teenager, St. Augustine prayed as so many of us have: "Lord, grant me chastity and continence, but not now."[1]

A flaccid longing for God's way collides with our carnality in disastrous ways. Which of us has not felt the longing for righteousness at war with the tug of temptation? Oddly enough,

1. Augustine of Hippo, *Confessions*, 8:7.

the temptation itself has a salacious delight attached, not yet a volitional act of sin but altogether wrong. Our flesh may cry, "Lord, take away the sin but not the temptation." We know deep within ourselves that this will not work. Sooner or later, if the temptation remains it will have its way with us.

I suppose they are to be envied who have never struggled with a temptation that gripped their souls. Those who have never yielded are certainly to be admired. Most of us have at one time or another fought and lost some terrible battle of the mind. This in no way excuses us. Sin is sin, and when it is ours we must do what David did and confess. Having lost, humbled by our failure, we know as we never have known what we are capable of, and it is a searing knowledge.

"Lead us not into temptation" has probably been misunderstood more than any line in the Lord's Prayer. The Lord's Prayer is not pleading with God not to tempt us. James 1:13 says, "Let no man say when he is tempted, I am tempted of God: for God cannot be tempted with evil, neither tempteth he any man."

Therefore the passage means something else. It might read like this:

> *Lord, lead me away from those things that tempt me. Lead me now. Please help me not to think of that (whatever* that *is). Help me not to want* that *or fail like* that *ever again. Amen.*

As you pray the Lord's Prayer, place your hand on your eyes and pray, "Lead us not into temptation." Now pray it with your hands on your head. Now on your mouth, then your ears, and finally on your heart. (For obvious reasons I suggest you do this in private, and if you are observed, make no effort to explain.)

This also leads to the rest of this part of the Lord's Prayer: "But deliver us from evil." Bondage or addiction to evil is one of Satan's darkest works. Whether it is meth or pornography or hatred or whatever, the remorseless grip of evil, once tightly in place for long enough, will not be broken by human strength alone. The soul in the clutch of evil, real evil, will be restored only with God's miraculous power.

Evil will not just go away because you decide to end your own bondage. Evil will come against your soul's restoration again and again and again, never stopping, in fact, until your deliverance is final. Many have found the Lord's Prayer indispensable in the battle. Every time the thought of that evil bondage flickers in your mind, every time the faintest shadow of it appears, pray with passion, "Deliver us from evil. . . ."

"Deliver *me* from evil."

Lay hold on that. Every time you pray the Lord's Prayer, at the end pray that prayer multiple times. That is the prayer for deliverance from addiction.

Deliver me from evil.

Deliver me from evil.

Deliver me from evil.

Make it your soul's breath, and breathe it all day long. Repeat it a thousand times a day, *every time the evil comes.*

A young businessman in Georgia took the Lord's Prayer challenge not really hoping it would help him find deliverance from alcohol. At least, not consciously. He began by praying the Lord's Prayer five times a day. His battle with alcohol actually intensified. After some months he added Psalm 23, because, as he said, "I'm in the valley of the shadow of death, because this booze will kill me."

He started saying both the Lord's Prayer and Psalm 23, then adding, "Deliver me from evil. I will fear no evil. Deliver me from evil. I will fear no evil." Over and over again. He has been sober for a year now! I asked him how long he would go on praying like that, and he said he might stop once he's in heaven, but he wasn't even sure about that.

There is another way in which the Bible uses the word *temptation*. That is as a trial or a test. In that way we might understand the prayer to mean:

O, Lord, lead me away from areas where I cannot pass the test, and away from evil circumstances. Amen.

In a sense, this is a prayer for protection in a world full of tragedy. Either way, it is a humble prayer for His leadership in a world of trials, tests, tempting sin, and evil addictions. *That* is a prayer we all need daily.

You might put the two together and find a prayer something like this.

Father,

I need your leadership. I know you know how weak I am. Lead me in a new way. Lead me into soul restoration. Lead me in such a way that those things that have tempted me will be far from me. Lead me away from storms and trials and the threat of evil. Deliver me from the enemy's every attempt to hinder my soul's restoration.

Amen.

My friend the Israeli rabbi, upon reading this section of my manuscript, wrote to me that it reminded him of a part of his own morning liturgy:

May it be Your will, Lord our God and the God of our ancestors, to accustom us to Your Torah, and make us attached to Your commandments. Lead us not into error, transgression, iniquity, temptation or disgrace. Do not let the evil instinct dominate us. Keep us far from a bad person and companion. Help us attach ourselves to the good instinct and to good deeds and bend our instincts to be subservient to You. Grant us, this day and every day, grace, loving-kindness and compassion in Your eyes and in the eyes of all who see us, and bestow loving-kindness upon us. Blessed are you, Lord, who bestows loving-kindness on His people Israel.

Babylonian Talmud 16b

13

David

Thou preparest a table before me
in the presence of mine enemies

How very like David the king this statement is. David knew all about enemies. His whole life he was surrounded by enemies. The ravenous beasts who wanted his sheep were the enemies of his childhood. And what a childhood it was! After the lions and bears came Goliath, then Saul, the Philistines, the Ammonites, the Hittites, the Jebusites, palace plotters, one of his own sons, and finally, old age. When David wrote of enemies, he knew whereof he spoke. He lived his life in the presence of enemies.

It is no wonder then that he speaks of God's loving providence in the midst—not in the absence—of enemies. David never said God would give me a life without enemies. He did say that God has not forsaken me when gossipers and detractors and envious plotters are circling me like hungry wolves.

As a university president and a businessman, I frequently needed cash-flow projections from my chief financial officer.

In order to understand those projections I had to know the assumptions they were based on. Likewise, the Lord's Prayer and Psalm 23 are based on a certain set of assumptions.

Here are the seven assumptions of the Lord's Prayer.

1. There is a God and He is our heavenly Father.
2. He is worthy to be praised.
3. He is our king and He has a will for our lives now, not just later in heaven.
4. We must eat to live, and we can trust Him to eat.
5. We have all sinned and need forgiveness.
6. We must forgive to be forgiven.
7. We will face temptation and evil.

Here are the seven assumptions of Psalm 23.

1. The Lord is a good and caring shepherd-provider, even as I am a needy sheep.
2. I have needs in my body such as food and water.
3. My soul also has needs such as restoration.
4. I live in a confusing world and I need guidance.
5. I will walk through the valley of the shadow of death. (The psalmist assumes that it is a matter of when, not if.)
6. There will be times I need comfort and protection.
7. I will (not might) have enemies.

This last assumption is probably the most painful to learn. When I was young—and I believe many young folks feel this way—I thought that if I was a nice person I would not have enemies. Now I see that nothing you do can keep someone else from deciding they are your enemy. You may indeed make enemies with your own actions, but you are likely to have enemies regardless of how nice or good or generous or anything you are. It is so hard for those who desire to be no one's enemy to realize that they themselves have enemies not of their own making. On the other hand, it is a joy to realize that though I may be absolutely surrounded by enemies, I am not abandoned. Even in their mocking presence, I am loved, guarded, and provided for by my Father and Shepherd.

The story of Hadassah, or Esther, is perhaps the prime example in the Bible of the truth about hidden enemies. The young Queen Esther is certainly to be admired, but the real heroic figure in the story is Mordecai. Without Mordecai there is no story of Esther. Indeed, without Mordecai, the slaughter of the Jews would have been an unimaginable horror. Mordecai's story is also a prime example of God's blessing in the presence of enemies.

In that story, told in the book of Esther, a man named Haman hates Mordecai, the Jew. Haman's is an unreasonable and envious hatred, as, by the way, most anti-Semitism is unreasonable and fueled by envy. Haman wants to despoil Mordecai, take all he has, pull him down, and even kill him—and not just Haman, but every Jew in Xerxes' kingdom. Mordecai has no such evil designs on Haman. He does not harbor hatred for Haman, or want him killed, or covet Haman's position or his possessions. Mordecai is a decent man, a faithful servant of the king and a loyal citizen, yet Haman hates him bitterly.

It is a dangerous naïveté to think that because you are a decent, God-fearing person who tries to be friendly and fair to everyone, you will have no enemies. Psalm 23 assumes the presence of enemies, not the absence of enemies. Just like Mordecai, you have enemies. And just like Haman, they feel justified, even righteous in their every attempt to bring you down. Haman justified his efforts to destroy Mordecai by wrapping it in the claim that it would be good for Xerxes and his kingdom.

You have enemies who assume your destruction might even be good for God and His kingdom. When my soul most needed restoration, I was shocked to discover that some did not want me healed, but instead wanted me strung up.

As in the case of Haman and Mordecai, God will also care for you miraculously. At one point, Mordecai's archenemy, Haman, must lead Mordecai through the streets of the capital, proclaiming the king's favor upon the hated Jew. Finally, of course, Esther is used by God to foil the murderous plot, and Haman himself is hanged on the gallows he built for Mordecai.

We can rest in the knowledge that God will protect us and give us victory over those who hate us without cause.

"Thou preparest a table before me in the presence of my enemies."

I might paraphrase this line from Psalm 23 in this way: "He puts food on the table for me and makes my enemies stand around and watch while I eat." That puts a whimsical little touch of gloating on the verse. Not enough to be sinful, I think, but enough to be fun in the face of adversity. Yes, there are enemies around me, some of whom I do not even realize are enemies. I will not worry that they are watching me. I rejoice for them to see how extravagantly God takes care of me.

14

David

Thou anointest my head with oil

There were at least two ways that anointing oil was used in David's time. One was for authority or installation into an office. The other was for comfort and healing. Both may be implied here, and both are of and from the Holy Spirit. Just as David's enemies saw him provided for so richly by the God of blessings, they must have chafed even more to see him anointed king. From his childhood it was clear that the good hand of God was on David. His brothers resented it. His father didn't understand it. Goliath doubted it. King Saul was afraid of it. His son usurped it. Political conspirators plotted against it, and his enemies in the field of battle dreaded it. Still, in the end it was undeniable.

David did not seize the horn from God's hands and anoint himself. He humbled himself under the hand of God's anointing. When he sinned he repented, and the anointing was refreshed. When he brought the ark of the covenant to Jerusalem wrongly, he learned his lesson, and the next time he did it the correct way. The anointing on David was refreshed so richly that he came rejoicing, even dancing with joy. His detractors never understood the unique relationship David had with God. It seemed unfair to them, and they dashed themselves to pieces trying to bring him down.

David was not arrogant about the anointing upon his life and leadership. Psalm 23 is not bragging. David is not saying, "Look at me. See how anointed I am." With humble gratitude he is stating a fact: "Look what God has done. See His grace in action. I do not deserve it. I do not understand it. I have not caused it or even made it easy for God, but still, there it is." Any anointing that anyone receives from God is grace. We humble ourselves and accept it, acknowledging that God has anointed us and not we ourselves. When I pray Psalm 23, I try to always thank God for His anointing and confess that He would be entirely justified to withdraw it. On my best day, even assuming I have a best day, I do not deserve it. Yet He anointeth my head with oil.

The other way that anointing oil was commonly used was for comfort and healing. Again, this was not mere theory to David. His wounds were real. Sometimes they were self-inflicted, and those are always the worst and the hardest to heal. What a loving God to heal self-inflicted wounds just as He does the harm done us by others. A girl I coached in high school basketball was already in serious bondage to alcohol before she got to the tenth grade. I knew it, but there was little I could do until it became a team issue, which, of course, it finally did. The day she showed up at practice too drunk to walk, I had my opening. I called her father to come to the gym, but when he arrived I witnessed the most incredible case of denial I've ever seen in my entire life.

He simply announced that she was not drunk. He had to carry her in his arms because she was babbling, incoherent, vomiting drunk, and he just kept saying the same thing: "She's not drunk." I was completely flummoxed. He told me it was not alcohol. She was just sick and pretending to be unconscious to get sympathy, and furthermore, I could not prove it was alcohol. If I kicked her off the team he would fight me, and he would not—absolutely would not—take her to Alcoholics Anonymous. Years later when her alcoholism became utterly unmanageable, he completely cut her off, refusing to have anything to do with her.

In rehab she found the Father she longed for. She told me that her father's denial was a form of disowning her as a person. She said,

> That's who I was at that time. He could not love that person, so he could never love the real me. I was self-medicating an unloved little girl who could never please her earthly father, and my choice of medicine—alcohol—just made everything worse. When I found God's love, I realized that the God who knows me best, the real me, loves me most. That's what a real Father is. That Father found me sick and drunk and loved me anyway. That Father healed me.

She has been faithful in Alcoholics Anonymous for years and she told me that the most meaningful part of every meeting is saying the Lord's Prayer at the close. Psalm 23 has also become meaningful to her. She said, "He anoints my head with healing oil so I don't do it with alcohol."

In the last decade of my life, anointing oil has been more precious to me than gold. When exhausted by the stresses and anxieties of the day, how sweet to feel the comfort of the oil of the Spirit poured over my head. I relish that mystery. He cools my hot head, heals the day's hurts and wounds, calms my anxieties, and soothes away my fears. The more I pray this great psalm, the more I look forward to this one line: "Thou anointest my head with oil."

15

David

My cup runneth over

Jesus

Give us this day our daily bread

Here again the great psalm speaks of abundance. This is a poetic statement of the unceasing flow of God's blessings. Just enough might be enough for us. Not for God. He is the God of "exceedingly abundantly" (Ephesians 3:20 NKJV). He is the God of beyond, above, greater, more munificent, and more everything good than we could ever think of, dream up, or imagine. His blessings just keep on flowing, pouring down into the cup we hold, out over its brim, down across our fingers, and into our surprised laps. We who believe in God seldom underestimate His power. We consistently underestimate His grace and goodness. We limit God when, as He pours out blessings, we cry "when" way too soon. Why should we say "when" at all? Rejoice, and let it flow. Run quickly and get a bigger cup. Then let it flow some more. Laugh, I say, and let it flow. Never, ever say "when."

Both the king and the Rabbi acknowledge the providential care of God Almighty for His beloved. The styles are remarkably different, yet the concept is the same. The language of Jesus the rabbi is so economical as to be sparse. David's expression of God's providence is a bit more, well, kingly.

Jesus' prayer is for daily bread. What could be simpler? Typical of Jesus, He is not concerned with the future, not even one more day into the future. This part of the Lord's Prayer is a low-level request as human petitions go. No plea for some grand buffet. No list of delicacies. No thought for tomorrow. Just bread. And just enough bread to satisfy today's hunger.

The prayer is not really about a full belly at all. In a way the petition is actually a profession of faith. This day. That's all that matters in this part of Jesus' prayer. I don't have to worry about tomorrow or even pray about tomorrow for that matter. God is the God of today. He will not change. He is I AM. This is a prayer of faith and trust. Lord, I trust you today. Today. Tomorrow's needs are for another prayer.

I was told that when the Nazi concentration camps in Europe were liberated at the end of World War II, the American soldiers encountered one very strange problem with the children rescued from hellholes like Dachau and Auschwitz. Even after some time, even as their physical health radically improved, the poor little things could not sleep. Nothing seemed to help until someone came up with the answer. Every night the soldiers gave each one of those children a piece of bread to hold in their hand. Their past had been so filled with horror and deprivation that despite the fact that they ate well today, they could not imagine that they would eat again the next day. The piece of bread in their hands gave them something to hold on to. Even if the miracle they were in right now were to be gone when they woke up, they had tangible proof right in their little fists that at least they would eat one more day.

Are God's children the emaciated refugees from some nightmare of a concentration camp? God forbid! "Give us this day our daily bread" is not a poverty prayer but a faith prayer to a God of abundance and blessing. It is a way of saying,

> *Lord, now, while it is still called today, I trust you. I will trust you every day, not like some pathetic orphaned refugee clutching at a hunk of bread, but as a child trusts his father. I believe you, God, to give me exactly what I need today, for I know that your idea of daily bread is exceedingly abundantly above all I could think of or imagine. And when tomorrow becomes today I will still believe you, and I will believe you every day for all my life.*

We in the West are so materially blessed, so overindulged and overfed, that daily dependence on God seems like an antique prayer. Why should I ask God for daily bread when the grocery store is open twenty-four hours a day and there is a fast-food chain on every corner?

When I first went to Ghana in the early 1980s, things were very difficult there. The J. J. Rawlings government had closed the borders and the shelves of the stores were empty. Petrol was as rare as diamonds and nearly as expensive. The lines at filling stations were three days long. People slept in their cars hoping to inch forward to get only a few liters of petrol. Food was in short supply and many were hungry.

During some of the darkest times, I visited for a few days at the home of the president of a small Methodist college in Kumasi. While I was there the family celebrated the eldest son's birthday and I wanted to give him something. There was no place to shop and, anyway, the shops were empty. Furthermore,

I was there as a very young, independent missionary, and I was nearly as poor as they were. I washed and carefully ironed one of the least used of my used T-shirts. I folded it neatly into a flat box and placed on top of it a twenty-dollar bill and a ballpoint pen.

When the young man opened it, his delight was a bit off-putting. He rejoiced as if I had given him an expensive new suit. His father, the college president, embraced me with tears in his eyes. All this I found extremely humbling and not a little embarrassing. I wanted to say, "Look, it's a used T-shirt, a ballpoint pen, and twenty dollars. Please don't make too much of this." They, however, were grateful beyond words. It was huge to them. When they gave the boy the family's present I understood better their frame of reference. It was a blue bandana and a tattered Bible his grandfather had used for preaching.

Gratitude comes hard to us in the West. So also does true dependence upon God. I am hardly the one to promote a Spartan lifestyle. My wife and I live in a lovely little home in a gorgeous, well-treed subdivision, and we each have our own nice car. "Daily bread" is not about living on bread alone. "Give us this day our daily bread" is about daily dependence and daily gratitude.

Fasting and Abundance

Jesus' instructions on prayer are followed by some of His instructions on fasting. This is interesting since fasting is about not eating, and part of the Lord's Prayer is about the need to eat. How do they connect?

In his teaching both on prayer and fasting, the Lord is emphasizing authenticity above ostentation and genuine joy above theatrical sadness. In Matthew chapter six, Jesus admonishes His followers not to draw dark lines on their cheeks and under their eyes when they fast so others will see what a disfiguring sacrifice their self-denial is. Instead, He says fasting should be joyful, a wonderful encounter with a providential God who can be trusted for tomorrow as well as today.

What is the real appeal of "all you can eat" restaurants? The signs on such places speak to a poverty mentality. You will seldom see millionaires eating at all-you-can-eat buffets. The person with a poverty mentality says to himself, "I have to eat all I can eat today because I do not know for sure if I will eat tomorrow." They may not be poor at all, and this fear may be totally irrational. It is fear that makes folks think with a poverty mind-set. Furthermore, they have a poverty view of "worth" or "value." They say to themselves, "I have paid for this and I am going to get my money's worth if it kills me, literally."

The prosperous seldom eat in such places. They do not doubt whether they will eat tomorrow. In fact, they are confident they will eat every day. Perhaps this is because they trust in their money, which can, in fact, be gone in a moment. In other words, even though their confidence is misplaced, they live with an abundance mind-set. The believer with the mind-set of abundance says, "I do not have to eat all I can today because I can trust God for tomorrow just as I do today."

Carrying that forward, I can fast today because I can trust God for tomorrow. Therefore, fasting is not an onerous, burdensome obligation that mars my face and my soul. That attitude can quickly devolve into sour worship. That is why Jesus said to wash your face. We can fast with joyful faith, rejoicing in a heightened sensitivity to His presence today and confident of His providence tomorrow.

That is the wonderful balance of "daily bread." I do not have to gorge myself in fear of going without tomorrow because "The Lord is my shepherd. I shall not want." I am not some concentration camp escapee clutching a crust of bread for comfort in the dark. Neither must I descend into the chronic ingratitude of those Western spoiled brats who, believing they deserve everything, cannot be grateful for daily bread.

"Thy will be done" is a statement of contentment with place.

"Daily bread" is a statement of contentment with possessions.

Too Proud to Receive

I don't know why, but I have always struggled more with receiving than giving. A friend of mine said it is a form of pride. With friends like that who needs enemies? Be that as it may, I just find it awkward to receive gifts from others. I love to give them. Generosity is actually a blessing to me. It's in getting where I freeze up. Sometimes, especially if the gift is exceptionally generous, I have a hard time coming up with the right words. I have even had to go back later and try to give a better thank-you and an apology.

Many years ago when times were very hard in Ghana, I preached at a poor village far in the north. It was summer and the heat of the Sahara was making itself felt in a terrible way. Still the people stood without a murmur for a lengthy service. Their response to the sermon was moving to say the least, and afterward several village elders made speeches thanking me for coming. The last man to the platform said the village wanted to bless me. At that, a woman came forward with a live chicken and a large loaf of bread. The chicken's wings were tied back so I could hold it with one hand without being scratched. The unwrapped loaf was pressed into my other hand.

The abject poverty of the village was heartrending. I wondered how many other bread loafs there were in the entire village. How many chickens? I was horrified at the very thought that even one of these poor people might go without so that I might go off with a chicken.

I informed my African colleague, Samuel Odarno, that I definitely would not accept the offering. He immediately informed me that I most certainly would. He said it with a smile, but he meant business. He said there was absolutely no way I could insult these poor people. He explained that the entire village was proud that they could give a gift to me, and to decline it would undo everything God had done that day. I yielded, but I was miserable. My misery was mitigated a bit when they put the chicken in the trunk of the car. I was afraid I would have to hold it all the way back to Kumasi.

We rode in silence for a moment. Then I said, "Sammy, I just feel awful about taking their food. Look at them."

"Obroni [white man], your cup runneth over and God did it. Be grateful. I fear you are not gifted at gratitude."

He was right, of course, as he usually was. The Lord's Prayer gives me the liberty to ask for bread. If God adds a chicken, that is His affair. Psalm 23 teaches me to rejoice in His abundance. I know there are those in ministry who use Scripture to justify extravagance and self-indulgence. The balance is in what Sammy said. Be grateful for the bread and be content. If God adds a chicken, receive it with gratitude. When your cup runs over, rejoice, and never, ever take it for granted.

16

David

For his name's sake

Jesus

Hallowed be thy name

"The name of the Lord" is a powerful biblical theme, and both the Rabbi's Prayer and the King's Poem touch on it. In the Lord's Prayer His name is to be praised. His name is holy (hallowed). In Psalm 23, "He leadeth me in the paths of righteousness for his name's sake."

There are two ways to see this phrase. First, the name of the Lord is who He is. In other words, He leads me in the paths of righteousness because He must be true to His name, to His very character. In all He does, in His every way, and in His will, His name must be honored. He is I AM and He cannot lead me in any way that is inconsistent with that. His name is holy or hallowed, therefore He is holy, therefore all His paths are holy, and therefore those are the ways in which He leads me.

There is another way to think about this phrase, and it is actually quite beautiful. We are His people, a people called by His name. Therefore, He leads me in the paths of righteousness because I am His, because His name rests upon me. We who were no people are now His people, called by His name. Therefore He honors that. He will not trick me, or abandon me, or lead me into wrong thinking because I am His child forever.

Both insights are lovely. God will lead us as He does because He is holy and cannot deny His own character. Or is it that God will lead us as He does because we are called by His name? Despite how sinful or smelly or stupid His sheep are, we are still His sheep. We are still called by His name. Either way or both ways at once, it is wonderful. I know He will cause me to think right and help me keep on thinking right because He is who He is and because His name makes me who I am.

I met a precious Catholic priest in Ghana, a wonderful, jolly fellow with a grand laugh and the most infectious smile I've ever seen. He told me that during the dark days of the early 1980s, he spoke out very boldly against the anti-Christian activities of the government. One night two men followed him to the parish house and were about to attack him with machetes, or cutlasses as they are called in Ghana. He turned to face them, lifted his hand, and simply said, "The name of Jesus rebuke you."

He said in the darkness they became so confused that they seriously wounded each other. He laughed so heartily telling me about it that I couldn't help thinking of Friar Tuck. He said, "You know, I pray the Our Father every day of my life. Not only is His name holy, it is a holy terror to evil men." Then his laughter boomed again and he said, "Don't you find that amusing?"

I said, "Yes, Father, that is amusing." And I laughed with him, but I thought what a tragedy it would have been if evil had deprived the world of this jolly old padre. I also determined to pray the name of Jesus over myself and my loved ones every day.

After you pray the Lord's Prayer and say Psalm 23, try this:

Lord,

Your name is holy. You lead me in the paths of right thinking for your name's sake. I thank you that your name is powerful, and I ask you for its protection over my life and over my family (or church, or nation, or whomever you name).

Amen.

17

Jesus

Deliver us from evil

David

Yea, though I walk through the valley
of the shadow of death, I will fear no evil

The Rabbi's Prayer and the King's Poem both clearly recognize that we need God's protection from forces of evil. This line in the Lord's Prayer could just as easily be translated, "Deliver us from the evil one." David speaks of the valley of the shadow of death, not as one of life's remotest possibilities, but clearly as a likelihood. It is almost as though David says, "*When* I walk through the valley of the shadow of death."

The petition of the Lord's Prayer combines powerfully with the faith statement of Psalm 23. In combination they might read something like this:

Lord, I am asking you to deliver me from every attack of the Evil One and all his wicked works in the earth. Even as I ask for your divine protection from every satanic attack, I thank you for it in advance, by faith, and I declare that no matter what circumstances I have to walk through, I will not be afraid of any evil that lurks there. Your promise and your presence comfort me, and I rest my soul in those.

I have been through seasons of such soul shaking that apart from this I could not have made it through. When you know there are people, driven by satanic hatred, who would destroy you if they could . . . When you know that some circumstance beyond your control, or even of your own doing, is looming up in the future with horrible implications . . . When it seems the Evil One himself is coming against you and your family . . . This particular portion of each of these two great prayers is empowering beyond words, especially in the face of fear. The words of Psalm 23 have comforted millions for three thousand years. God alone knows in the last two thousand years how many, in what dire straits, have prayed, "Deliver us from evil."

In 1970, a small group of American POWs were being held in North Vietnam's notorious Hoa Lo Prison. It came to be known as the Hanoi Hilton, a prison where the guards ruthlessly tortured, beat, and maimed prisoners. On November 29 of that year, Lt. Commander Edwin "Ned" Shuman agreed against the direct orders of the guards to lead the group in worship. As Shuman led the prisoners in prayer, he was dragged from the room and beaten horrifically. As the guards hauled him out, another prisoner took his place. He was knocked unconscious with a rifle butt. A third man took up the prayer until he too was hit with a rifle butt. It went on until the prayer was completed. Over the guards' screaming to stop, the prayer went on. As one leader after another was hammered to the concrete floor, it went on.

Decades later, those men who lived through Hoa Lo's horrors would remember that day and that prayer. The prayer they prayed was the Lord's Prayer.

The Pickens County, South Carolina, school district officials yielded to pressure from atheists and banned prayer from the graduation ceremonies at the county schools. The valedictorian at Liberty High School in 2013 was a boy named Roy Costner IV. His preapproved speech in his hand, he made his way to the platform, but at the podium he ripped it to shreds in front of the audience and calmly said, "I think most of you will understand when I say . . ." Then young Costner bowed his head and began to pray the Lord's Prayer. The audience leapt to its feet and cheered, then listened as he prayed on.

The world of the twenty-first-century believer is not really all that different from the first-century world of Jesus: a hedonistic culture on one side and powerful secular governments on the other. There are prices to be paid in a season where it's dangerous to pray.

There is evil in the world, and it is in opposition to the work of God. During the reign of terror under the dictatorship of the Rawlings government in Ghana, it was an awful time for the church and for Christian ministry. Rev. Samuel Odarno, a precious Ghanaian minister, and I needed to travel from Kumasi to Sunyani, a rugged journey on terrible roads. The greater problem was that the government, in an attempt to hamper any revolution that might rise to throw them off, also paralyzed the whole country. They made it illegal to horde petrol in any amount outside the tank of your car. It's hard to mount a coup if you cannot get out of your driveway. It is also difficult to mount an evangelistic crusade in another town.

Sammy and I decided to break the law. The appeal of hungry people for a crusade in Sunyani trumped wicked laws that hurt an entire nation. We filled several gas cans, enough to send us both to jail, and hid them in a false compartment in the car. We covered it with a carpet, put our suitcases in front of it, and convinced ourselves that it looked good enough. We were wrong—dangerously wrong.

At the first military checkpoint on the way out of Kumasi we were stopped by a small detachment of soldiers commanded by a female sergeant. When we got out of the car it was immediately obvious that all the soldiers, including the sergeant, were very drunk. It was a volatile situation because drunks are unpredictable. Furthermore, accidents can happen under the influence, and this lot was way under the influence. Besides, if they shot you by accident, you would be just as dead as if they meant to shoot you.

When they opened the trunk they smelled the petrol, and pulling back the carpet they easily discovered the gas cans. We were told to put our hands on the hood, and they held their automatic weapons on us. I closed my eyes and prayed the Lord's Prayer. When I came to the line "deliver us from evil," I repeated it over and over again.

Suddenly the sergeant violently smashed her swagger stick down on the hood of the car only inches from my fingertips. The sound was so loud and so sudden I thought it was a gunshot.

"What are you doing?" she screamed at me.

I tried to sound as calm as I could, but I could hear how thin my own voice was. "I'm praying, Sergeant."

It was as if she couldn't understand my words. She just kept screaming the same question over and over again. Likewise, each time I kept answering, "I'm praying."

Finally I added two words: "Sergeant, I'm praying *for you*."

I did not tell her that I was praying for protection from her. It felt like a strategic omission at the time and one that the Lord would understand.

She spun on her heel and turned her drunken wrath away from Sammy and me and onto her own soldiers. "Reload these cans! Get them out of here. I don't want to see them. Load these cans and get them out of my sight!" Her screaming was now hysterical, and the soldiers obeyed immediately. They reloaded our illegal petrol, fixed the false compartment, and waved us on.

Seldom has "deliver us from evil" seemed so real to me as it did at that checkpoint. God's rod and His staff were my great comfort on that day and on many other days as well. In a real crisis, or in fear, or in grief, His rod and His staff may be all the comfort there is, but they are all the comfort you need.

When I was in undergraduate school, my Western Literature professor was a young firebrand atheist who made no secret of his disdain for religion. One day in class someone asked him what he thought was the greatest single poem ever written. He shocked us all when he answered with Psalm 23.

"We thought you were an atheist," someone called out.

"I am," he answered. "Two years ago our baby died. My wife is a Catholic and insisted on having a priest do the funeral. I did not want any such thing, and I was very angry at her and that old priest. At the grave he prayed Psalm 23 and I, who believe not one word of it, felt deeply moved. Some unexplainable wave of comfort swept over me. I don't believe in God but I believe in poetry. Any poem that can move you like that, against your will, is great poetry."

I do not dispute his analysis of the poetry. Psalm 23 may very well be the greatest poem ever written. Where he is wrong—dead wrong—is the source of its power. The protection, comfort, and healing grace of its true author who spoke through King David are in every word. What my professor sensed, without being able to admit, was not a great poem about God, but the great God of a great poem.

Shepherds in David's day would have guarded their charges against every predator. The only hope of the defenseless sheep was the armed guardianship of the shepherd. We are His sheep, and in the face of the forces of darkness we can rest ourselves in the knowledge that our God is on guard, and He is armed and dangerous. Yes, we must certainly use the spiritual weapons St. Paul references in Ephesians and 2 Corinthians. Yet what good are they if He who has given those weapons to us is not standing over us with His own mighty weapons in His hands? The heaviest artillery of satanic power is impotent in the face of the rod and staff of a God who is as terrible in battle as an army with its banners unfurled. A fire goes before Him and burns up all His enemies. In the face of all that life and history and Satan himself can hurl at me, the Good Shepherd's rod and staff comfort me.

18

David

Surely goodness and mercy shall follow me

Jesus

For thine is the kingdom

The Lord's Prayer begins and ends by declaring the kingdom of God. Thy kingdom come. . . . Thine is the kingdom. . . . Every word, every petition, all the faith and hope of the Lord's Prayer are bracketed magnificently by the joyful declaration of His kingship over us. We pray for His kingdom to come on earth. We declare that His kingdom is even now in the earth that is us. "The kingdom of God is within you" (Luke 17:21). Above all things, and finally, in the great prayer we confess that His kingdom is His.

What liberty there is in being free of my own kingdom! I do not have to build one. I do not have to protect, repair, own, pay for, or provide for one, and I cannot do any of those things anyway. I had rather be a love slave in His kingdom than the Lord of my own domain. Besides, what manner of paltry, pathetic kingdom might mine be? His kingdom is His, and it is beyond all I can think of or imagine.

The kingdom is His. The power is His. The glory is His. Everything is His, and that is the good part, not the bad part. We are such selfish creatures that we lust to own everything we see. From our earliest childhood, at the faintest sign of infringement, we scream, "Mine, mine, mine!" When at last we cry out to heaven, "Yours, yours, yours!" relief comes in waves. Free of our own kingship, we finally find His—and His is altogether good.

David was a king, an earthly king to be sure, but a king nonetheless. At the end of his great psalm he rejoices to list the two great qualities of life in God's kingdom: goodness and mercy. All the kingdoms of this earth have been remarkably free of both goodness and mercy. The house of David was certainly haunted by all the tragedies of evil and cruelty. The most prosperous and prominent citizens in David's kingdom might hope for a life with moments of goodness, or what passes for goodness, here and there along the way. If they transgressed the law they probably had scant hope of mercy. Yet King David says as a sheep in God's pasture he expects that for the rest of his life, all the days of his life, goodness and mercy shall follow him on the pathway.

Is it just proof of good, tight poetry that David begins the psalm by talking about the Good Shepherd leading him, then ends by talking about goodness and mercy following him? No, I think it is more than poetry. David is making a strong theological point about living under God's shepherding kingship. When we go our own way, wickedness and cruelty dog our steps. When we follow where He leads, goodness and mercy follow us all the days of our lives.

In a country church I pastored, there was a precious old farmer named Harry. He was proud of his cattle and loved to show them off, especially to his young city-slicker pastor. We would ride in his pickup or just walk among them in the pasture. He also had two big, not-too-civilized-looking dogs that followed us everywhere. They never tried to bite me, but they made me nervous, and I wouldn't have dared approach them without Harry. The moment Harry opened the truck door, they would leap into the bed. They slept at his feet and ate from his hand, and I believe they would have killed anyone or anything that threatened old Harry. He named them Goodness and Mercy and he thought this was a terrific joke. I guess it was at that, but those two savage-looking dogs also gave me an insight into Psalm 23 I've never forgotten.

19

Jesus

Forever

David

Forever

David and Jesus, a thousand years later, both conclude what are certainly their greatest devotional masterpieces with *forever*. David says, "I shall dwell in the house of the Lord for ever." This is strikingly New Testament imagery. In John 14, Jesus uses a very similar image: "In my Father's house are many mansions: if it were not so, I would have told you. I go to prepare a place for you. And if I go and prepare a place for you, I will come again, and receive you unto myself; that where I am, there ye may be also" (vv. 2–3).

When it comes to prayer for healing, *forever* is our wonderful, precious, indispensable, theological "ace in the hole." Please forgive such a secular metaphor as *ace in the hole*. *Forever* is what we hold back while we pray for healing now in this present body. There is a delicate balance in the healing ministry, and *forever* is the fulcrum on which it rests. We anoint the sick with oil according to the book of James, pray in faith, and believe for their healing. Why some tiptoe timidly into prayer for healing or even retreat is hard to understand in the light of Jesus' emphasis on healing, especially when the book of James is so clear in its instructions for ministry to the sick. By the same token, some have no full-bodied theology of healing because they have no theology of death. Death is not the worst thing that can happen to a believer. When we pray for God's will we are praying for healing. When we say "forever," we have to mean it.

Someone once pounced on me after a healing service with what he thought would be a devastating question. "How do you know these healings are not temporary?"

"I'm 100 percent sure they are temporary," I answered.

He responded in shock. "Jesus' miracles weren't temporary."

"Sure they were," I said. "Every miracle he worked was temporary. He turned water into wine, but after it was drunk, it changed again. He raised Lazarus from the dead, but later Lazarus died. Again! Then he went to heaven. Again!"

The man was absolutely flabbergasted at this. "Well, I don't even know what to say to that."

"I do," I answered. "Forever. No matter how good temporary is, after temporary comes forever. There will be nothing temporary about forever, but until then everything is temporary."

It is sometimes the duty of a minister to sit with the dying. The first time I was called on to perform that lonely job, I was very young and I had never actually seen anyone die. An elderly man in my church had been in the hospital until his family was exhausted. Late one night, seeing how badly they needed sleep, I sent them home and agreed to stay the night myself. Of course, after days in the hospital, that was the very night he died.

In the wee hours of the morning, I heard the death rattle in his throat and approached the bed. At that exact moment he sat bolt upright in the bed and peered across the room at a blank wall. It nearly frightened the wits out of me. Suddenly he lifted his right hand and, pointing at the wall, he cried out, "Oh, beautiful!" Then he laid his head on the pillow and breathed his last.

I have never seen a look of such radiant excitement as there was on that old man's face. I am convinced that he saw forever. He was not afraid or confused or shaken. All he could do was exclaim, "Beautiful!"

I don't know what forever will look like, but I know he saw it, and that's the best word he could use to describe it. I also know this: We are in the stream of forever now. Heaven will be ours, but goodness and mercy are following us at this very minute.

Jesus ends the Lord's Prayer with, "Thine is the kingdom, and the power, and the glory, for ever." What magnificent words. What brilliant, transcendent hope and joy. David and Jesus combine to tell us that the kingdom of God is in the earth, the earth of us now, and when that earth is no more, we will dwell in the kingdom of God eternally. His kingdom is in us. We are also in it now, and we shall be in it eternally. The kingdom is His—not ours—and we rejoice to proclaim that. If the kingdom is His, then so are all the power and all the glory. Forever. Forever and ever and ever. Amen, amen, and amen.

Our Father who art in heaven, hallowed be thy name.
Thy kingdom come, thy will be done in earth, as it is in heaven.
Give us this day our daily bread.
And forgive us our debts, as we forgive our debtors.
And lead us not into temptation, but deliver us from evil:
For thine is the kingdom, and the power, and the glory, for ever.
Amen.

Part 3

TO CHANGE YOUR WORLD

20

Saturation prayer

If you prayed the Lord's Prayer every day, even if that were the only prayer you ever prayed, it is better than not praying at all. It's as simple as that. If this book just convinces one person who never prays that they can at least pray the Lord's Prayer, then it was worth it. I defy you to find a wrong way or time to pray the Lord's Prayer. At the risk of sounding like a tennis shoe company, "Just pray it."

Having said that, here are three ways to use the Lord's Prayer and Psalm 23 that can make these two masterpieces come alive for you perhaps as never before. The purposes of these three ways of praying are very different, yet each one is beautiful in its own way. One is what I might call for daily, personal use. A second is for slow, deep intimacy. The third is for corporate or congregational use. In all three of these "strategies," the end result will happen without your having to work at it. That end result is not just saying the Lord's Prayer. It is coming to know the Lord of the prayer.

I'll cover the first of these ways to use the Lord's Prayer in this chapter and the other two in the following chapters.

Saturation Prayer

This one chapter on saturation prayer is actually why I wrote this book. I cannot begin to express to you what saturating myself in the Lord's Prayer has meant to me. I am urging believers and unbelievers, prayer groups and youth groups and whole churches to soak themselves in the Lord's Prayer—time after time, day after day, and, as in my case, year after year.

I waited nearly a decade to write this book. There were several reasons, but the main one was that I wanted to see some results of marinating my life in the Lord's Prayer over time. I wanted to tell you about a life-changing experience, not advocate an untested idea. I sensed that the only way to do that was to write the book out of a changed life. For years I have prayed the Lord's Prayer multiple times daily. I began the practice in desperation and it became a delightful habit.

The very purpose of this book is simply to invite you—no, urge you—no, plead with you—to pray the Lord's Prayer multiple times every day. I suggest a very doable goal of five times a day: at each meal and at bedtime and when you awaken. One way I like to think of these five times is that they represent the five wounds of Jesus. When you first wake up, think of the wound in His right hand and say the Lord's Prayer. Before breakfast contemplate His left hand. Before lunch contemplate His right foot, before dinner His left foot, and at bedtime His spear-pierced side. Psalm 23 could represent the crown of thorns.

What will happen, and I predict this without hesitation, is that you will soon be praying the Lord's Prayer many more times a day than five. Pray it silently, mentally if you will, in the waiting room at the doctor's office. Pray it while you drive (with your eyes open), when you exercise, or at your desk, and especially on airplanes. Because I travel so much, I suppose airplanes and airports seem particularly conducive. One is often alone in them, with lots of time and little to do. During takeoff and landing when everything else must be turned off, the Lord's Prayer can be turned on.

You do not have to be in a perfectly quiet room. You can say the Lord's Prayer at a basketball game. It takes less time to pray than it takes the shot clock to count down. Furthermore, it doesn't take huge powers of concentration to pray for 21 seconds. You can pray it in a shopping mall or in a fishing boat. Pray it while you mow the lawn; you can pray the Lord's Prayer dozens and dozens of times during the time it takes to mow an average-sized lawn. You do not have to be in church or even doing your daily devotionals. Whisper it. Think it. Or even sing it. One of the great things about the Lord's Prayer is that it has been set to some of the most beautiful music in the world.

As the Lord's Prayer becomes embedded in your subconscious, as you find yourself repeating it over and over again throughout your day, you will discover that specific words and phrases leap into your mind exactly when they are needed. In that way you will pray bits and pieces of the prayer to meet certain needs.

One of the most powerful parts of the Lord's Prayer is, "Thy kingdom come, thy will be done in earth as it is in heaven." "In" earth. When you pray that, you might try repeating it as you touch your head, then your eyes and mouth. (I recommend doing this only when you're alone. It has a decidedly odd look in public.)

What does it mean to pray for His kingdom to come over our lives and bodies and relationships? "Thy kingdom come" in my emotions means, "God, deliver me from emotional brokenness, from the woundedness because of which I have wounded so many others. May your kingdom come in my eyes. Rule over what they see and dwell on. When I have been king of my own eyes, they have been greedy to see evil. I need—not just want, but need—your kingdom to come, to be established in my eyes." The longing for a "kingdom mouth" is not the arrogant lust to order others about as a ruler does. It is the humble acknowledgment that if I am king over my own words, they will be as wicked as their king. Only to the extent that God is king of my words can they really glorify Him.

What you are praying is:

Lord, I pray that your kingdom will be established in my mind. Own every errant thought. Bring every wicked thought into submission until I have the mind of Christ. May your kingdom be established in my eyes. May I speak only that which is consistent with your will. May I hear every word through the filter of your kingdom. Amen.

When loneliness comes upon you, pray "Our Father." Just pray those two words over and over again. *Our Father. Our Father.* Let the fatherhood of God comfort you.

In moments of confusion or when you are concerned about the outcome of a situation, pray, "Thy will be done." A job interview? *Thy will be done.* A court case? *Thy will be done.*

In financial need pray, "Give us this day our daily bread."

When you have sinned or have been sinned against, pray, "Forgive us our debts as we forgive our debtors." Really pray it. Pray it until forgiveness is yours and until it is flowing out of you to them, whoever "them" is.

This kind of pinpoint application of specific parts of the Lord's Prayer will actually happen quite naturally, without your effort. It's not a matter of your working to make application in circumstances where some word or phrase might fit. It is rather that the prayer will become so much a part of you that hardly anything can happen that will not make some phrase of it come to your mind. When it does, pray it. Pour it into that moment. Pour lots of it in. You cannot use it up.

Lead us not into temptation . . .
Lead us not into temptation . . .
Lead us not into temptation . . .

Especially when you are tempted.

The Lord's Prayer can break addictions, overcome hatred, calm shattered nerves, and silence the inner voice of guilt and condemnation. I know people who struggled with horrible nightmares until they began repeating the Lord's Prayer over and over again as they went to sleep. Fall asleep soaking in the Lord's Prayer and you will find its healing power on your subconscious. Wallow in it. Anoint yourself with it. Slather it on. Carry it around in your head like a melody you can't get rid of, except you don't want to get rid of it. Fill your heart with it. Soak your wounded emotions in it. Baptize your worst memories in it. Finally, pour it on stress like oil and let it calm your anxious heart.

Sometimes I pray the Lord's Prayer by repeating each section five times as I go through, like this:

Our Father who art in heaven . . .
Our Father who art in heaven . . .
Our Father who art in heaven . . .
Our Father who art in heaven . . .
Our Father who art in heaven . . .

As you can see, by the end I've prayed the Lord's Prayer five times, but the emphasis of each phrase is made stronger.

The point is not how, when, or where you pray the Lord's Prayer. The important part of saturation prayer is to pray the great prayer as often as possible. Make a commitment right now. Now, while you are reading this. Once a day? Okay. That's a place to start. On the other hand, why not stretch yourself. Can you commit to pray it five times a day? Think before you say no. That is a total of 1.75 minutes a day. Not even two minutes out of your whole day. Yet I tell you if you do even that, your life—the earth that is you—will be changed. You can change earth in 21 seconds. If you prayed the Lord's Prayer ten times a day, it would still take only 3.5 minutes of your time. If you prayed it a hundred times in a day, which I suspect few people ever do, it would still take only thirty-five minutes.

A businessman who heard me speak on this idea of saturation praying the Lord's Prayer said that he began after that with five times daily, but was now probably praying twenty or thirty times a day. He said he was also praying it with his family and some of his colleagues at work every day. He told me it had become so much a part of him that sometimes he found himself praying it in his mind without consciously making a decision to start.

A basketball coach told me he used the Lord's Prayer for his team prayer at a secular state university before every game. He said, "In that brief prayer we are one team. One thought. Same words even. It's great to go into a game with that kind of unity."

An elderly lady told me that since she had started praying the Lord's Prayer at least five times a day her memory had gotten better. That is not a claim I'm totally willing to get behind, but it actually seems logical. Why wouldn't a regularly repeated mental recitation improve cognition?

One teenage boy who attends a very uptight secular school where the crackdown on religious observance has been particularly severe told me that he now silently prays the Lord's Prayer before every class. "Right when I sit down, I pray it mentally. They can keep me from praying aloud, but they cannot stop me praying, and for 21 seconds of every class I'm praying."

He said he also told some of his Christian friends, and now the Lord's Prayer is being prayed by many all over the school. I asked if his grades were getting better and he just laughed. I have no idea what that meant.

Another very practical use of the Lord's Prayer is as a table grace. For some years now my wife and I have been praying the Lord's Prayer before our meals. Those with children may find that using the Lord's Prayer makes a more substantive prayer than some children's table prayers. It may also take them longer to learn, but soon it will come naturally as you pray it together at each meal. Using the Lord's Prayer also affords endless possibilities for discussion. If nothing else, take the time to go over the words. What better teaching and sharing time could be imagined? One thing amazed and, I must admit, convicted my wife and me when we began praying the Lord's Prayer as a table grace. It seemed lengthy. Since it takes only 21 seconds, we realized how brief our previous mealtime prayers must have been.

Saturate your life in the Lord's Prayer. Start with once a day or try five times daily. This is the first and most direct way to use the Lord's Prayer to change the world.

> Our Father who art in heaven, hallowed be thy name.
> Thy kingdom come, thy will be done in earth, as it is in heaven.
> Give us this day our daily bread.
> And forgive us our debts, as we forgive our debtors.
> And lead us not into temptation, but deliver us from evil:
> For thine is the kingdom, and the power, and the glory, for ever.
> Amen.

21

Meditational prayer

David said, "Blessed is the man that walketh not in the counsel of the ungodly, nor standeth in the way of sinners, nor sitteth in the seat of the scornful. But his delight is in the law of the Lord; and in his law doth he meditate day and night" (Psalm 1:1–2).

Christian meditation—meditating on the Word of God—is not a common form of prayer, but it is very powerful. There is no better prayer to use for meditation than the Lord's Prayer. Psalm 23 is also brilliant for meditational prayer. This kind of prayer is not the 21-second variety. Meditation is designed for use when time is more plentiful. It takes quiet, intense concentration and a slow, thoughtful pace.

Meditational prayer can also be used for leading group prayer. Group prayer in the meditational model works best with a more spiritually mature group and requires a sensitive and insightful leader. I suppose most things are like that, but there simply is not any way to hurry this kind of prayer. Likewise, excess volume may be distracting. Immature leaders tend to want to do everything in a hurry, and they often substitute volume for deep passion.

Whether done alone or with a group, meditational prayer works the same. There are no rules, but here are some steps that will at least demonstrate the pattern. As you use it, you will find your own pace and style, but this section may be a helpful pattern to get you started.

If you are using this style of prayer in your personal private prayer, you can skip sections or spend more time wherever the Spirit leads. If He says, "Camp here," put down your tent pegs and be slow to move on. Private meditational prayer is not a race. It is the opposite of a race. If you pray the Lord's Prayer and Psalm 23, then go back to one section and just pray that one part for however long. That is wonderful.

If you are using this model in leading a group, you may guide the group yourself or appoint prayer leaders to lead in each section. This is not a slap-shot model, a quick prayer before a meeting or a meal. This is a slow, unhurried prayer for a group in search of a fresh model for contemplative prayer. At one Christian university where I served as president, we used this style of prayer for an all-night prayer retreat. We prayed the Lord's Prayer throughout the night, but we used Psalm 23 as the structure for the directed prayers. We promoted it as "One Night With the Good Shepherd." A detailed chronological guide is in appendix A.

A Pattern for Meditational or Contemplative Prayer

First, pray the whole Lord's Prayer. If you are going to combine Psalm 23, say all of it also. Second, say each phrase of the prayer and then meditate on it.

"Our Father"

Begin to think of what it means that God is your Father. Praise Him. Pray slowly, concentrating on God's fatherhood.

Listen for fresh insight. Pay attention to thoughts and words brought to your mind by the Spirit, especially other Scriptures that may come to mind as you pray. Think of other Scripture that might have insights into the fatherhood of God.

Now slowly consider "*Our* Father."

Pray that same way around the word *our*. Begin to turn your thoughts and prayers to the implications of God as the Father of many—yes, your Father, but not yours alone. Pray for unity in the body of Christ.

"Who art in heaven"

Now pray around the word *who*. Who is God? What are His characteristics? Begin to praise Him for those, rejoicing in who God is, not in what He does.

"Who *art* [is] . . ."

Now begin to pray around the wonderful truth that God is. "The fool hath said in his heart, There is no God" (Psalm 14:1). Praise God that He is and that He is I AM. Think about what that means. Roll it around in your mind. Meditate on it and rejoice.

"In heaven . . ."

Begin by praising God for the nature of His fatherhood. He is heavenly, not earthly or carnal. He is free of all the falseness of earth fathers. Praise Him for that. Now praise Him that He awaits you in heaven. Thank Him that heaven will someday be yours. Think of its many glories. Let your imagination run wild as you consider heaven's wondrous beauty.

"Hallowed be thy name"

Recognizing that *hallowed* means "holy," begin praising God for His holiness, that He is never one thing and then another. He is always I AM. Then move into meditating on what *thy name* means. Pray around as many of His names as you can. God. Jehovah. Lord. King. Master. Savior. Prince of Peace. Everlasting

Father. Rose of Sharon. Lily of the Valley. Keep on saying them, thinking each time what they mean to you and what they tell you about God.

"Thy kingdom come, thy will be done"

Claim His kingship over yourself and your loved ones. Declare God king over schools, neighborhoods, and communities. Pray for His will to be accomplished in yourself and others. Pray that nothing will hinder His will from being done. Thinking of any dilemma you face, pray for guidance and wisdom and for a resolution consistent with God's highest and best will. This may seem like an odd thought, but pray to be able to pray aright. In other words, ask God what His will is, that you may have full liberty to pray it in faith.

"In earth as it is in heaven"

Pray *Maranatha*, which means "Come soon, Lord Jesus." Pray for His kingdom's grace to be established in geographical areas as the Spirit leads you to pray. Then for the earth that is you, and finally, the earth that is others.

"Give us this day our daily bread"

This is the place to pray for material needs. Pray for help in whatever financial needs you or others may be facing. Pray the prayer of absolute trust. Trust Him with today, tomorrow, and every tomorrow. Spend time counting your blessings. Rehearse in your mind times in the past when He fed you miraculously.

"And forgive us our trespasses (debts) as we forgive those who trespass against us (debtors)"

I urge you not to separate this section either in your prayers or in your spirit. This is one indivisible thought. Swallow it in one gulp. "Forgive me; I forgive." Just like that. Honesty is absolutely essential. The most fruitless endeavor in all our eternity would be lying to God Almighty before whom the secrets of all hearts are disclosed. Soul restoration begins with your forgiveness. Confess without hesitation. He already knows everything anyway. Say it. Call it what it is, no matter what "it" is. Now forgive them, no matter who "them" is. This will be the biggest battle in the Lord's Prayer, not to say, but to actually do. Go on. Say it. Pray it again and again until it is true.

"And lead us not into temptation"

Are there areas where you feel weak and tempted? Cover those areas with prayer. Petition God to lead you away from those, to guide you out of danger before it can overwhelm you. This is not a passive prayer. Ask and believe Him to actively steer your ship around the rocks and reefs that could rip a hole in your hull. He knows where every dangerous mine is. He knows all your weaknesses. Pray for a safe passage. In our darkest failures we find ourselves praying, "God, get me out of here." The better path is to seek God's strong hand not to go there at all.

"But deliver us from evil"

This can be one of the most rewarding parts of the prayer. No soul restoration can take place apart from His liberating power. Indeed, it could be said that deliverance from evil and soul restoration are synonymous. Pray this over dark pockets that remain in your own life and in the lives of those for whom you pray. At this part of the prayer, pray also for safety for yourself and others. If there are missionaries, soldiers, and others you know in harm's way, this is a powerful prayer.

"For thine is the kingdom and the power and the glory forever"

End as you began—with praise. Give Him glory. Recognize His power. Rejoice at His eternity. Spend some time just praising Him and thanking Him that your eternity is also secure in Him.

Meditatively praying the Lord's Prayer is strolling ever so slowly through the great prayer, feeling each word, handling it in turn, and letting the Spirit of the Lord help you see new insights. When you are able to take some extended time apart, a weekend or maybe just an hour or two, you may experience in meditational prayer an intimate involvement with the Lord's Prayer and/or Psalm 23 beyond what you knew was possible. Obviously, if you pray this way through Psalm 23, you would simply use its words.

You may also find that meditating on the entire prayer/psalm may not be necessary every time. You may choose just one word or one phrase and meditate on it throughout a whole day or during your prayer time.

For example, suppose from the Lord's Prayer you choose to meditate for one day on "Thy will be done in earth."

Pray the Lord's Prayer as you always do, just as often as you want to, but after each repetition take a second or two and pray across that one phrase. Something like this:

> *Lord, I want your will done in my life. I am made of earth and I tend toward earthiness. Forgive me for my earth-likeness. I forgive all those who have acted toward me like the earth they are. May your will be done in the earth of me. I want your will. I long to know your will and submit to it joyfully. Change the earth, O Lord, that is me. Amen.*

22

Congregational prayer

The only reason for this book to come into print, the only reason that matters, is to get more people praying the Lord's Prayer more often. I hope entire churches will commit to pray the Lord's Prayer for a whole year. Of course, I believe that a one-year experiment such as that will lead to many more years of praying together as a church the one prayer Jesus taught us all.

Many churches find great encouragement and blessing in beginning the year with a fast. The congregation that fasts together and also commits to pray the Lord's Prayer multiple times daily will discover a new power in the fast and in the unity. An alternative plan is to come out of a congregational fast and straight into a yearlong congregational commitment to the Lord's Prayer. This will be an explosive experience for churches as they rediscover the power of this great prayer.

Think of the prayer power generated by a church where just one hundred members consecrate themselves to pray the Lord's

Prayer once a day, every day for one year. The arithmetic alone is pretty impressive.

100 members x 365 days in a year = 36,500 repetitions of the Lord's Prayer.

That equals 766,500 seconds of prayer or 12,775 minutes or 212.9 hours.

All those hours spent in unity of prayer and perfect agreement will have tremendous results. There truly is power in prayer. Make it 1,000 members and, well, you can do the math. Now, what if 1,000 churches of at least 100 members made that commitment? That comes to:

100,000 members praying once a day x 365 days in a year = 36,500,000 prayers.

That comes to 766,500,000 seconds or 12,775,000 minutes or 212,917 hours. That is approximately 24 years of round-the-clock prayer prayed in one year.

Now just suppose that all those folks committed to five times daily. That number of hours prayed in that way, five times daily in one year by 100,000 believers comes to 1,064,583! That is 121.5 years of round-the-clock prayer.

Think of it. Over 120 years of unified prayer prayed in one year. That will change the world.

Now, it may be that a church might choose to ask its members to commit for just one month or even one week. Another church might commit just for Lent, or perhaps from Easter to Pentecost. That might have exciting and surprising results! Combining a unified congregational commitment to the Lord's Prayer with a unified congregational fast can have tremendous impact. Imagine your church fasting and praying in unity, even praying exactly the same words, the words Christ taught us to pray, for a month. Imagine starting the church year that way. Unity, commitment, fasting, prayer, and the words of our Lord in the mouths of the members of your congregation, together as His body. That is an incredible way to start a year of blessing and unity.

During that time, however long the commitment, I additionally urge the regular public use of the Lord's Prayer in worship services. This may already be far more common in some cultures than in others, but there is every reason for us to pray together in a worship setting exactly as Christ taught us to. Liturgical churches will have to work hard to keep the Lord's Prayer from devolving into nothing more than an obligatory and meaningless prayer to be droned through without joy or faith. On the other hand, in even the most high-powered, high-octane charismatic worship service, a tiny moment—21 seconds—of liturgical prayer won't hurt a thing. Go for it! Pray the Lord's Prayer out loud, together, sincerely, passionately as a congregation and believe God for results.

> Our Father who art in heaven, hallowed be thy name.
> Thy kingdom come, thy will be done in earth, as it is in heaven.
> Give us this day our daily bread.
> And forgive us our debts, as we forgive our debtors.
> And lead us not into temptation, but deliver us from evil:
> For thine is the kingdom, and the power, and the glory, for ever.
> Amen.

Some contemporary Protestant churches, especially charismatics, Pentecostals, and evangelicals, seem to disdain any ritual. The purpose of this book is not to rearrange their worship services. However, I urge the return to the public as well as private use of the Lord's Prayer. Here are three places for use of the Lord's Prayer in a worship service:

1. In Communion. I urge pastors to have their congregations pray the Lord's Prayer in every celebration of Holy Communion.

The Roman Catholic Church uses the Our Father (the Lord's Prayer) in every mass. Indeed, the most common element in the various liturgies of the Catholic Church is the Our Father. A Jesuit friend told me it is not possible to think of Catholic liturgy without the Our Father. What better way to "do this in remembrance" of Him than to remember the prayer He taught us?

2. At the end of pastoral prayers. If not every time, why not begin to occasionally end prayers by saying, "In the name of Jesus, who taught us to pray by saying . . ." Teach the people that they should join you in the Lord's Prayer. Those who already do this every Sunday may find it shocking that there are modern Protestant churches where the Lord's Prayer is hardly *ever* prayed by the entire congregation. By the same token, priests and more liturgical Protestant pastors who regularly lead their people in the Lord's Prayer may wish to occasionally use their sermons to teach on the Lord's Prayer. Making the prayer lively and powerful may be the greater challenge for liturgical churches. "Familiarity breeds contempt" is a well-known saying. Some congregations may have simply become so familiar with the Lord's Prayer that it has become just a few lines of blah, blah, blah strung together in the middle of the liturgy. God forbid! Other congregations may have laid aside the Lord's Prayer for so long that recapturing it may be a new and challenging worship experience for them.

3. In special ceremonies of the church. Recently, at an out-of-town wedding, I asked the congregation to join me in praying the Lord's Prayer. Afterward I was amazed at the positive comments from many of the laypeople in attendance.

"Dr. Rutland, that was beautiful."

"Oh, the Lord's Prayer was a wonderful touch. I really felt that I was involved in the wedding in a new way."

The bride herself said, "Pastor, when you told me you would lead everyone in the Lord's Prayer at my wedding, I know I wasn't that happy about it. It just seemed so stuffy and old-timey. I apologize. I'm so glad you insisted. It was beautiful. I had just never heard it done before."

Her mother chimed in, "To me it was one of the most memorable parts of the whole wedding. I will never forget praying the Lord's Prayer at my daughter's wedding. Thank you so much."

Frankly, it was an awkward moment for me. I felt as an umpire might feel if spectators gushed extreme gratitude because he called balls and strikes. I actually did not know what to say. I have never officiated at a wedding in my life where I did not lead the congregation in the Lord's Prayer. It never occurred to me that it would be new to anyone. I suppose if it's old enough, it's new to some.

What stunned me, however, was the comment of the local pastor. "I loved it when you had everyone pray the Lord's Prayer. It added a touch of something—dignity, I think, or maybe class. Whatever it was, I liked it, and I think I'm going to start doing that myself."

At funerals, weddings, Communion, baby dedications, and building dedications, what could be a more beautiful and appropriate touch of corporate liturgy than the Lord's Prayer. I will say this: If non-liturgical pastors add the Lord's Prayer into special services, there may be people in their congregations that day for whom that prayer is their first prayer ever or in a long time. Anyway, it adds "a touch of something—dignity, or maybe class." That seems like a good idea.

By the same token, if pastors of highly liturgical churches commit themselves to teaching on the Lord's Prayer, they may find that some in their congregations experience liturgical prayer as a vital reality for the first time. That also seems like a good idea.

23

Inner healing

Self-medicating with the Lord's Prayer and Psalm 23

I am convinced that the two most therapeutic writings ever produced are the Lord's Prayer and Psalm 23. Taken singly or as a mixture, they are the medicine of the soul. It is possible to actually pour them down inside ourselves like an elixir of life. All Scripture memory is edifying. Learning how to use those passages as weapons against the enemy, to bless others, or to encourage our own hearts turns them into effective weapons of our warfare. Many of us have favorite verses or "life verses" that have been helpful to us through the years. No verse is more anointed or authoritative than another. It's just that one becomes "ours" in a unique way.

For example, when I first began in missions many years ago, I was occasionally in very dangerous situations. Twice I was held at gunpoint in Africa. Once I was robbed at gunpoint. I spent many nights in remote South American rain forests, waded through rivers, was in a car crash high in the Andes, and flew in airplanes no one in their right mind would have boarded. In those times Isaiah 12:2 was my friend and companion: "Behold, God is my salvation; I will trust, and not be afraid: for the Lord Jehovah is my strength and my song." You may have your own special verse too.

Having said all that, I am actually talking about something different. We were given a prayer, the only one Christ himself ever taught us. It is obviously designed for corporate prayer. Look at the use of first person plural throughout.

"*Our* Father . . ."

"Give *us* . . ."

"Forgive *us* . . ."

"Lead *us* . . ."

The entire prayer is plural. Ignoring it in the corporate worship of the Christ who taught it seems an obvious oversight. Making it just so much dull, meaningless blah, blah, blah is worse. By laying it aside or by making it into boring, liturgical window dressing, much of the church is missing out on the healing power of Jesus' greatest teaching on prayer.

At the heart of both the Lord's Prayer and Psalm 23 is the acknowledgment of the achingly obvious fact that we are broken and lonely in our brokenness. We find ourselves filled with guilt and condemnation, weighed down with hatreds we don't know how to shed, and all too easily dragged under by life's trials, tribulations, and temptations. Bitterness flows in our veins like hot acid. Disappointment, disillusionment, doubt, and despair torture our minds. Fear haunts the back halls of our conscious minds, and nightmares torture our subconscious. In short, our souls are troubled.

Soul destruction is the damage done to our inner selves by us and by others. It is part of life. Every life. No one gets out of this unscathed. "The slings and arrows of outrageous fortune" were not Hamlet's unique discovery. Rejection, disappointment, disillusionment, guilt, fear, and a host of other deadly darts wound the inner self of us even from the womb.

When David said, "He restoreth my soul" (v. 3), it was not just the peculiar language of some complex poet-warrior from the Iron Age. It was the deepest hope of modern humanity. That one line, "He restores my soul," could just as likely be said by a single woman in an apartment in midtown Manhattan as by an ancient desert chieftain. Deserted by her narcissistic live-in lover, she cries in the night for her soul to be restored. The middle-aged businessman who has drunk away his marriage and his youth stares into the mirror and longs for his own sad, empty soul to be restored. A lonely boy molested in a foster home feels used and useless. One Sunday he visits a local church and the priest or pastor reads Psalm 23, and something inside of him, deep inside, leaps up. Can it be? Can that really happen? Who can do that? Of whom does the poet speak? "He restoreth my soul." Who is "He"?

This great declaration of King David was not simply his own personal testimony. Soul restoration is not age or gender or generation-specific. David was not the only person to experience a wounded soul. Nor was he the only person to inflict the wound himself. As unique as King David was personally, and he was as rare a bird as ever there was, in that one sentence he voiced the hope of every wounded soul everywhere in every generation.

I went on a night monkey hunt deep in the Peruvian forest with the chief of a native village. Once we were some distance from the village, he stopped, indicated a fallen log, and asked (in Spanish) if we could sit down. For some time we sat without speaking, but finally he began to pour his heart out. It was a challenging conversation because we were both speaking in our second language, Spanish, and his Spanish was nearly as limited as mine. My best translation would be as follows.

"There must be plenty of medicine in your country," he said.

"Yes," I answered. "Are you ill?"

"My wife and I need medicine. I wonder if you have medicine for us."

"What kind of medicine do you need? In what way are you sick?"

"Two years ago she had a baby. It was born dead. She cannot love me anymore. I am lonely but I don't want a different wife. I want her to love me again. We both need medicine. Is there medicine for us?"

I found the whole conversation amazing. Deep in a tropical rain forest, the chief of a village on the edge of the Stone Age asked me a question that could have been asked of the most expensive therapist in Hollywood.

"Yes," I told him. "There is medicine, but not in a doctor's office in the U.S. It is in the Bible. There was a king who went through terrible things. He even did some terrible things."

The chief sighed deeply at this. "I also have done some bad things."

"His baby also died," I told him. "It was a tragedy that was awful to go through. He could have blamed himself or his wife. He could have blamed God. He didn't. He trusted God. Later, that same wife had another baby. That baby became the next king. When the king was older he wrote a poem. In that poem he said, 'God heals my sad heart.' I know the poem by heart but only in English. I have a Spanish Bible back in the village. I will give it to you."

"I cannot read," he said.

"I will read it to you and you can learn it by heart. Your wife too. You must say it every day. Many times. I believe it will heal your sad hearts."

"Teach us the words and we will say them together."

"I believe God will heal you both."

"What was the king's name?" he asked me.

"His name was David."

"If we have another baby I will name him David."

"That is good," I said. "I think King David would like that."

I am convinced that the strategic and repetitive use of the Lord's Prayer is soul medicine. Add in Psalm 23 and the concoction is powerful indeed. You can begin to treat yourself with God's prescription. Every time these inner mental attacks come at you, refuse to sit there and take it. In the face of fear or temptation or loneliness or depression take this prescription.

> Rx: Pray the Lord's Prayer at each such attack. Pray it at each meal. Pray it every morning and at night before you go to sleep. Actually, pray it every time you even think of it. Add in liberal doses of Psalm 23. Mix with faith and stir.

One middle-aged woman who had been molested as a young girl began to have serious problems as an adult. Doubts about her value as a human being filled her mind. Her appearance suddenly began to be of no concern to her. Depression from her teens—which she thought she had conquered—resurfaced; nightmares about the incident that she had not experienced for years began again; and suicidal thoughts began to attack her. All this after many, many years of suppressing the memory. Counseling helped, but alone at night when there was no counselor around, she needed medication unlike anything she had ever found. She needed it constantly. She agreed to take the prescription I recommended (the same one this book recommends), and I urged her to keep on with the application over an extended period of time. We are immersed in a culture that expects immediate results. She promised she would persist for a year.

She said that after only a few months, she knew she could make it through. She said, just as I told her it would, that the Lord's Prayer gave her a handle to grip—and grip it she did, as any drowning person would. This gave her hope, of course, and she increased the dosage. As hope and confidence began to increase, she added Psalm 23. Lots of Psalm 23. In fact, she flooded herself with it. You cannot overdose.

Her marriage, which had been on the brink of dissolution, began to dramatically improve. Her career, which she had been ready to abandon, took on fresh meaning, and she found new joy in the labor. She reported that after less than a year, the nightmares ceased entirely. She said her hatred of her attacker had mingled with the deep fear that she was somehow partially to blame for what had happened.

She said the forgiveness in the Lord's Prayer was crucial to her healing. The more she prayed to forgive, the more she was reminded of her own forgiveness. The line in Psalm 23 that became the ally of forgiveness seemed a bit odd to me, frankly. She said it was, "He prepares a table before me in the presence of my enemies."

I could not quite understand why that became so precious to her until she explained that the Lord would not prepare a table for anyone who was "filthy and nasty." I thought the enemy was surely her attacker, but she seemed amazed I would think so. She said her enemies were self-loathing and depression. "They may still be there, I guess," she said. "But they don't feed on me anymore. Now I eat at the Lord's table while they have to watch."

An elderly widow said she had become so afraid that she literally could not go out of her house. She was diagnosed with agoraphobia, fear of crowds and public spaces. Her grown children tried everything, but she wouldn't budge. Actually, she couldn't budge. She was paralyzed with fear. Her life and all her relationships were crippled by fear.

She insisted the prescription wouldn't help her. She would never leave the house ever again. That she was sure of. "Forget about trying to leave the house," I told her. "Forget about trying to convince yourself it's safe outside. Forget all that. Just take the medicine. Take it every day. Take it all day."

She agreed, after saying she doubted it would do any good. I asked, "What could praying the Lord's Prayer hurt?"

"That is right," she said. "What can it hurt?"

I urged her to just pray it. "Don't worry about what it will do for you. Just keep on praying it." She did and subsequently added in Psalm 23. Every time she said nothing was changing I asked her to up the dosage, especially Psalm 23. After some weeks, not months but weeks, she was able to walk out into her backyard. That gave way to working in the front flower beds. Her grown children were amazed when she was able to go back to church and finally even go shopping with her daughter. Sometimes the valley of the shadow of death is not out in the streets but right inside our own heads. Our minds are where our fears live. That is where the valley of the shadow of death is, and that is exactly where we need Jesus to walk with us. The Good Shepherd accompanies and comforts us in our minds. Sometimes we have to stop fighting our fears and just take our medicine like big girls and boys.

A pastor with whom I worked became so afraid of failure that he was virtually paralyzed. Focusing on his fear of failing, he did in fact begin to fail. The church started to decline and his emotions were ragged to say the least. He agreed to start on a regimen of the Lord's Prayer and a supplement of Psalm 23. He soon saw benefit and increased the dosage. He said it was the turning point in his life and his ministry. As his confidence in God grew, his leadership returned. The part of the Lord's Prayer that came alive to him was, again, a bit surprising to me: "Thy kingdom come. . . ."

He said as he immersed himself in meditatively praying the Lord's Prayer, the kingdom of God became very real to him.

He no longer had to fear failure because it wasn't his kingdom. He said it was a deliverance of sorts and his joy returned. With joy comes strength, and strong, prayerful leadership is what people hope to see in their pastor. Today that church is thriving and so is my friend.

The emotional healing resident in the words of the Lord's Prayer is incalculable, but those words have to move off the page and into the earth of us. That is when the healing really starts to happen. Saying the Lord's Prayer repeatedly, especially adding Psalm 23, can heal our inner wounds. Many spend so much time staring at their wounds that they cannot be healed of them. We can become so conscious of our wounds that they dominate our thoughts and consume our energy. We can arrive at the place where the hope of getting healed is lost because we can only think of how wounded we are. By concentrating our mental and spiritual energies on the Lord's Prayer, we are able to quit thinking about our inner hurts or even about getting over them. Praying the Lord's Prayer does its own work. There is nothing we can add. We cannot help. We cannot contribute. All we do is pray the great prayer. The same is true of Psalm 23, of course. Just saying it, resting myself in its words, even in its syllables and sounds, just repeating it over and over again and letting it soak into my soul is all I do. The Word does all the rest. That is soul restoration God's way.

The Lord's Prayer and Psalm 23 brought me home from a dark place behind a forbidding wall of separation. I could not seem to be intimate with the dearest people in my life. I could not penetrate that wall. When I came to a place of desperation, I found that all I could hold on to was the prayer Jesus taught two thousand years ago. Then the Holy Spirit added in Psalm 23, making it ever so much sweeter. I have walked through the valley of the shadow of death, but I was not alone. A rabbi and a king went with me.

24

Benediction

Every word that Jesus ever spoke is equally precious. Yet for each of us at some point or another, some word, some phrase of His just leaps off the page and becomes life to us. I believe the very essence of all Jesus taught was the kingdom of God. Therefore when He taught us to pray, "Thy kingdom come, thy will be done in earth as it is in heaven," He was teaching us to make the most powerful request possible: that the kingdom of God would come in us and that His will would be done in us, not partially, but altogether.

> Thy kingdom come, thy will be done.

Likewise, out of a life as complex as King David's, what among all the great things he ever wrote might be the most important? I believe it was this simple four-word testimony:

> He restores my soul.

At least it was the most important thing he ever said to me. David did not say God is powerful enough to heal and restore my damaged inner self. David said He does it. He restores my soul. God heals all the wounded emotions so twisted up inside me. He heals the memories that haunt me. He but speaks, and my fears, like the storm on the Sea of Galilee, lie still and quiet.

After praying the Lord's Prayer and Psalm 23 back-to-back hundreds if not thousands of times across the past decade or so, I am convinced they are basically the same, and they are both about soul restoration. My soul is me, the inner me, the real me. My soul is all my thoughts and emotions and imaginings. In a real sense I can hardly even say "my" soul because my soul is me. George MacDonald is quoted as saying, "You do not have a soul; you are a soul. You have a body."

When I pray "Thy kingdom come, thy will be done in earth . . ." I am praying to be restored, to be healed in my inner self, that self inside its earth shell, that self that is me. Jesus said I should pray for that in faith, and David said God does it.

God is the King of Restoration. Whenever, wherever His kingdom comes, He restores. When His kingdom comes in the earth of me, He heals and restores the soul that is me. This is the prayer the Lord gave His followers. When I had fallen into a pit and thought I didn't have a prayer, He also gave it to me. The Lord's Prayer became the handle by which I began the long climb up and out.

"Thy kingdom come, thy will be done in earth . . ." we pray.

As Jesus said, "The kingdom of God is within you" (Luke 17:21).

"We are broken inside and need to be healed," we pray. "Am I so far gone that I cannot be restored?"

"Ask David, whose heart was after me," Jesus answers.

"He restores my soul. Even mine," David says.

"Yes," Jesus says. "I do."

Hashem Yevarech Otha

Those Hebrew words can be translated "God bless you." Be blessed and restored and kept by His grace who taught us to pray by saying:

> Our Father who art in heaven, hallowed be thy name.
> Thy kingdom come, thy will be done in earth, as it is in
>   heaven.
> Give us this day our daily bread.
> And forgive us our debts, as we forgive our debtors.
> And lead us not into temptation, but deliver us from evil:
> For thine is the kingdom, and the power, and the glory,
>   for ever.
>   Amen.

Appendix A

One Night With the Good Shepherd

Those who have what I call a knack for prayer sometimes forget how difficult it is for the rest of us to pray for extended periods of time without some structure. Try the Lord's Prayer or Psalm 23—or both. Here is the basic idea for a structured all-night prayer service.

We started at 10 p.m. (which, by the way, is still the shank of the evening for college kids) and ended at 5 a.m. with a pancake breakfast. We divided Psalm 23 into sections and assigned each one to a student, faculty, or staff who was responsible to lead in directed prayer in response to that precise assigned phrase. Each prayer leader could use their fifteen minutes as they felt led. I was amazed at how creative they were. Throughout the night we also had the worship team punctuate the prayer assignments with music. The music team did an excellent job choosing appropriate music. We were careful not to let the music outweigh the prayer. At 3 a.m. it is a lot easier to get college kids to sing rowdy choruses than to pray with intensity on a specific topic.

We took no breaks but just let people decide when to take their own breaks for the bathroom or for drinks or snacks, which we kept in another room. We did not allow lots of "fellowship" in the snack room. We have all seen prayer services where the least amount of the entire time is spent actually praying. Below is the way we ordered the evening. Of course, any variation could be designed using any Scripture.

One Night With the Good Shepherd

10:00–10:15 p.m.	Music team leads in worshipful choruses followed by singing the Lord's Prayer.
10:15–10:30 p.m.	All recite together Psalm 23 in unison followed by free prayer.
10:30–10:45 p.m.	First directed prayer. All pray the Lord's Prayer. Leader guides in thoughts and prayer on the words *"The Lord."*
10:45–11:00 p.m.	Second directed prayer. All pray the Lord's Prayer. Leader directs prayer on the words *"Is my shepherd."*
11:00–11:15 p.m.	Third directed prayer. All pray the Lord's Prayer. Leader directs prayer on the words *"I shall not want."*
11:15–11:30 p.m.	Fourth directed prayer. All pray the Lord's Prayer. Leader directs prayer on the words *"He maketh me to lie down in green pastures."*
11:30–11:45 p.m.	Music team leads in worship.
11:45 p.m.–12:00 a.m.	Fifth directed prayer. All pray the Lord's Prayer. Leader directs prayer on the words *"He leadeth me beside the still waters."*
12:00–12:15 a.m.	Sixth directed prayer. All pray the Lord's Prayer. Leader directs prayer on the words *"He restoreth my soul."*
12:15–12:30 a.m.	Seventh directed prayer. All pray the Lord's Prayer. Leader directs prayer on the words *"He leadeth me in the paths of righteousness."*
12:30–12:45 a.m.	Music team leads in worship.

12:45–1:00 a.m.	Eighth directed prayer. All pray the Lord's Prayer. Leader directs in prayer on the words *"For his name's sake."*
1:00–1:15 a.m.	Ninth directed prayer. All pray the Lord's Prayer. Leader directs prayer on the words *"Yea, though I walk through the valley of the shadow of death."*
1:15–1:30 a.m.	Tenth directed prayer. All pray the Lord's Prayer. Leader directs prayer on the words *"I will fear no evil."*
1:30–1:45 a.m.	Music team leads in worship.
1:45–2:00 a.m.	Eleventh directed prayer. All pray the Lord's Prayer. Leader directs prayer on the words *"For thou art with me."*
2:00–2:15 a.m.	Twelfth directed prayer. All pray the Lord's Prayer. Leader directs prayer on the words *"Thy rod and thy staff, they comfort me."*
2:15–2:30 a.m.	Thirteenth directed prayer. All pray the Lord's Prayer. Leader directs prayer on the words *"Thou preparest a table before me in the presence of mine enemies."*
2:30–2:45 a.m.	Music team leads in worship.
2:45–3:00 a.m.	Fourteenth directed prayer. All pray the Lord's Prayer. Leader directs prayer on the words *"Thou anointest my head with oil; my cup runneth over."*
3:00–3:15 a.m.	Fifteenth directed prayer. All pray the Lord's Prayer. Leader directs prayer on the words *"Surely goodness and mercy shall follow me."*
3:15–3:30 a.m.	Sixteenth directed prayer. All pray the Lord's Prayer. Leader directs prayer on the words *"All the days of my life."*
3:30–3:45 a.m.	Music team leads in worship.
3:45–4:00 a.m.	Seventeenth directed prayer. All pray the Lord's Prayer. Leader directs prayer on the words *"And I will dwell in the house of the Lord."*
4:00–4:15 a.m.	Eighteenth directed prayer. All pray the Lord's Prayer. Leader directs prayer on the word *"Forever."*
4:15–4:30 a.m.	Music team leads in worship.
4:30–5:00 a.m.	Prayers for healing. Music team continues worship.
5:00 a.m.	All say Psalm 23 together. All sing the Lord's Prayer.

As you see, there are eighteen directed prayers. The Lord's Prayer is also prayed eighteen times and sung twice.

Appendix B

The Lord's Prayer in various languages

Greek

Pater hêmôn ho en toes ouranoes;
hagiasthêtô to onoma sou;
elthetô hê basileia sou;
genêthêtô to thelêma sou,
hôs en ouranô, kae epi tês gês.
ton arton hêmôn ton epiousion dos hêmin sêmeron;
kae aphes hêmin ta opheilêmata hêmôn,
hôs kae hêmeis aphiemen toes opheiletaes hêmôn;
kae mê eisenenkês hêmas eis peirasmon,
alla rhysae hêmas apo tou ponerou.
hoti sou estin hê basileia kae hê dynamis kae hê doxa
eis tous aeônas;
amên.

ΠΑΤΕΡ ΗΜΩΝ Ο ΕΝ ΤΟΙΣ ΟΥΡΑΝΟΙΣ
ΑΓΙΑΣΘΗΤΩ ΤΟ ΟΝΟΜΑ ΣΟΥ
ΕΛΘΕΤΩ Η ΒΑΣΙΛΕΙΑ ΣΟΥ
ΓΕΝΗΘΗΤΩ ΤΟ ΘΕΛΗΜΑ ΣΟΥ,

ΩΣ ΕΝ ΟΥΡΑΝΩ ΚΑΙ ΕΠΙ ΤΗΣ ΓΗΣ
ΤΟΝ ΑΡΤΟΝ ΗΜΩΝ ΤΟΝ ΕΠΙΟΥΣΙΟΝ
ΔΟΣ ΗΜΙΝ ΣΗΜΕΡΟΝ
ΚΑΙ ΑΦΕΣ ΗΜΙΝ ΤΑ ΟΦΕΙΛΗΜΑΤΑ ΗΜΩΝ,
ΩΣ ΚΑΙ ΗΜΕΙΣ ΑΦΙΕΜΕΝ ΤΟΙΣ ΟΦΕΙΛΕΤΑΙΣ
ΗΜΩΝ
ΚΑΙ ΜΗ ΕΙΣΕΝΕΓΚΗΣ ΗΜΑΣ ΕΙΣ ΠΕΙΡΑΣΜΟΝ,
ΑΛΛΑ ΡΥΣΑΙ ΗΜΑΣ ΑΠΟ ΤΟΥ ΠΟΝΗΡΟΥ.
ΑΜΗΝ.

Latin

Pater noster,
qui es in caelis,
sanctificetur nomen tuum.
Adveniat regnum tuum.
Fiat voluntas tua,
sicut in caelo et in terra.
Panem nostrum quotidianum da nobis hodie, e
t dimitte nobis debita nostra sicut et nos dimittimus
debitoribus nostris.
Et ne nos inducas in tentationem,
sed libera nos a malo.
Amen.

Spanish

Padre nuestro que estás en los cielos
Santificado sea tu Nombre
Venga tu reino
Hágase tu voluntad
En la tierra como en el cielo
Danos hoy el pan de este día
y perdona nuestras deudas
como nosotros perdonamos nuestros deudores

y no nos dejes caer en al tentación
sino que líbranos del malo.
Amen.

French

Notre Père, qui es aux cieux,
Que ton nom soit sanctifié,
Que ton règne vienne,
Que ta volonté soit faite sur la terre comme au ciel.
Donne-nous aujourd'hui notre pain de ce jour.
Pardonne-nous nos offences
Comme nous pardonnons aussi à ceux qui nous ont offensés.
Et ne nous soumets pas à la tentation,
mais délivre-nous du mal,
car c'est à toi qu'appartiennent le règne,
la puissance et la gloire, aux siècles des siècles.
Amen.

Romanian

Tatăl nostru care eşti în ceruri,
sfinţească-se numele Tău,
vie împărăţia Ta, facă-se voia ta,
precum în cer aşa şi pe pământ.
Pâinea noastră cea de toate zilele,
dă-ne-o nouă astăzi
şi ne iartă nouă greşelile noastre
precum şi noi iertăm greşiţilor noştri
şi nu ne duce pe noi în ispită
ci ne izbăveşte de cel rău.
Că a Ta este împărăţia şi puterea şi slava,
Acum şi pururea şi în vecii vecilor,
Amin.

Italian

Padre Nostro, che sei nei cieli,
Sia santificato il tuo nome.
Venga il tuo regno,
Sia fatta la tua volontá,
Come in cielo, così in terra.
Dacci oggi il nostro pane quotidiano,
E rimetti a noi i nostri debiti
Come noi li rimettiamo ai nostri debitori.
E non ci indurre in tentazione,
Ma liberaci dal male. Amen.

Portuguese

Pai Nosso, que estais nos Céus,
Santificado seja o Vosso nome.
Venha a nós o Vosso reino,
Seja feita a Vossa vontade
Assim na Terra como no Céu.
O pão nosso de cada dia nos dai hoje.
Perdoai-nos as nossas ofensas
Assim como nós perdoamos a quem nos tem ofendido
E não nos deixeis cair em tentação
Mas livrai-nos do mal.
Amém.

Hebrew

Avinu shebashamayim, yitkadesh shimkha.
Tavo malkhutekha ye'aseh r'tzonekha ba'aretz ka'asher
na'asah vashamayim.
Ten-lanu haiyom lechem chukeinu.
u'selach-lanu et-ashmateinu ka'asher solechim anachnu
la'asher ashmu lanu.

Ve'al-tevieinu lidei massah, ki im-hatsileinu min-hara.
Ki lekha ha-mamlakha vehagevurah veha-tiferet
l'olemei olamim. Amen.

אָבִינוּ שֶׁבַּשָּׁמַיִם יִתְקַדֵּשׁ שִׁמְךָ:
תָּבוֹא מַלְכוּתֶךָ יֵעָשֶׂה רְצוֹנְךָ
כְּבַשָּׁמַיִם כֵּן בָּאָרֶץ:
אֶת־לֶחֶם חוּקֵּנוּ תֵּן־לָנוּ הַיּוֹם:
וּסְלַח־לָנוּ עַל חֲטָאֵינוּ
כְּמוֹ שֶׁסּוֹלְחִים גָּם אֲנַחְנוּ לַחוֹטְאִים לָנוּ
וְאַל־תְּבִיאֵנוּ לִידֵי נִסָּיוֹן
כִּי אִם־חַלְּצֵנוּ מִן־הָרָע
כִּי לְךָ הַמַּמְלָכָה וְהַגְּבוּרָה וְהַתִּפְאֶרֶת
לְעוֹלְמֵי עוֹלָמִים אָמֵן

Thai

Ka tae prabida kong kappachao tang lai;
Praong satid eu nai sawan;
Pranam kong praong jong pen ti Sakkara;
Pra-anajak knog praong ja ma tueng;
Ko hai tuk sing pen pai tam nampratai;
Nai paendin muan nai sawan;
Ko pratan ahan prajam wan;
kae kappachao tanglai nai wan ni;
Prod yok tod hai kappachao;
Muan kappachao yok hai pu uen;
Ya ploi hai kappachao tuuk prajon;
Tae prod chuia hai pon pai; Amen.

ข้าแต่พระบิดาของข้าพเจ้าทั้งหลาย
พระองค์สถิตในสวรรค์
พระนามพระองค์จงเป็นที่สักการะ
พระอาณาจักรจงมาถึง

ขอให้ทุกสิ่งเป็นไปตามน้ำพระทัย
ในแผ่นดินเหมือนในสวรรค์
ขอประทานอาหารประจำวัน
แก่ข้าพเจ้าทั้งหลายในวันนี้
โปรดยกโทษข้าพเจ้า
เหมือนข้าพเจ้ายกให้ผู้อื่น
อย่าปล่อยให้ข้าพเจ้าถูกการผจญ
แต่โปรดช่วยให้พ้นภัย

Twi, Akan (Ghana)

Enti mommɔ mpae sɛ:
Yɛn Agya a wowɔ soro,
wo din ho ntew,
w'ahenni mmra,
nea wopɛ nyɛ
asase so, sɛnea ɛyɛ ɔsoro.
Ma yɛn yɛn daa aduan nnɛ,
na fa yɛn aka firi yɛn,
sɛnea yɛde firi wɔn a wɔde yɛn aka.
Na mfa yɛn nkɔ sɔhwɛ mu,
na yi yɛn fi bɔne mu.
(Na wo na ahenni ne ahoɔden ne anuonyam yɛ wo dea daa, Amen.)

Russian

Отче наш, Иже еси на небесех!
Да святится имя Твое,
да приидет Царствие Твое,
да будет воля Твоя,
яко на небеси и на земли.
Хлеб наш насущный даждь нам днесь;
и остави нам долги наша,

якоже и мы оставляем должником нашим;
и не введи нас во искушение,
но избави нас от лукаваго.
Аминь.

Otchye nash, sushchi na nebesakh.
Da svyatitsya eemya tvoye;
Da preedyot Tsarstvo tvoye;
Da budyet volya tvaya
ee na zemlye kak i na nyebe;
Khleb nash nasushchny die nam na syej den,
ee prostee nam dolgi nashi kak ee myi proshchayem
dolzhnikam nasheem,
ee nee vedee nas v eeskusheniye
no eezbav nas ot lukavovo.
Eebo Tvoye yest Tsarstvo ee seela ee slava vo vyekee.
Ameen.

Turkish

Ey göklerde olan Babamız,
İsmin mukaddes olsun;
Melekûtun gelsin;
Gökte olduğu gibi yerde de senin iraden olsun;
Gündelik ekmeğimizi bize bugün ver;
Ve bize borçlu olanlara bağışladığımız gibi, bizim
borçlarımızı bize bağışla;
Ve bizi iğvaya götürme, fakat bizi şerirden kurtar;
Çünkü melekût ve kudret ve izzet ebedlere kadar
senindir.
Amin.

Hungarian

Miatyánk, aki a mennyekben vagy,
Szenteltessék meg a Te neved.
Jöjjön el a Te országod,
Legyen meg a te akaratod,
Amint a mennyben, úgy a földön is.
Mindennapi kenyerünket add meg nekünk ma,
És bocsássd meg a mi vétkeinket,
miként mi is megbocsátunk az ellenünk vétkezőknek.
És ne vígy minket a kísértésbe,
de szabadíts meg a gonosztól.
[Mert tiéd az Ország, a Hatalom és a Dicsőség,
mindörökkön-örökké.]
Ámen.

Swedish

Vår fader som är i Himmelen.
Helgat varde Ditt namn.
Tillkomme Ditt Rike.
Ske Din vilja, såsom i Himmelen
så ock på Jorden.
Vårt dagliga bröd giv oss idag
Och förlåt oss våra skulder
såsom ock vi förlåta dem oss skyldiga äro
och inled oss icke i frestelse
utan fräls oss ifrån ondo.
Ty Riket är Ditt och Makten och Härligheten
i Evighet.
Amen.

Bahasa Malaysian

Bapa kami yang ada di syurga,
dikuduskanlah nama-Mu.
Datanglah kerajaan-Mu,
jadilah kehendak-Mu,
di atas bumi seperti di dalam syurga.
Berikanlah kami roti seharian pada hari ini,
dan ampunilah hutang kami,
kerana kami juga telah pun mengampuni penghutang kami.
Dan janganlah masukkan kami ke dalam percubaan,
tetapi bebaskanlah kami dari yang jahat.

Tagalog (Philippines)

Ama namin sumasalangit ka,
Sambahin ang pangalan mo.
Mapasaamin ang kaharian mo.
Sundin ang loob mo dito sa lupa para nang sa langit.
Bigyan mo kami ngayon ng aming kakanin sa araw araw;
At patawarin mo kami sa aming mga sala,
Para nang pagpapatawad namin sa nagkakasalaan sa amin;
At huwag mo kaming ipahintulot sa tukso,
At iadya mo kami sa lahat ng masama.
(Sapagka't sa iyo'y nagmumula ang kaharian,
ang kapangyarihan at ang kaluwalhatian magpas-awalang hanggan.)
Amen.

Dr. Mark Rutland is the *New York Times* bestselling author of *ReLaunch*, as well as fourteen previous titles. He founded Global Servants in 1977 and still serves as its president. While continuing in that role, over the last twenty-five years Dr. Rutland has also served as senior pastor of a megachurch and president of two different universities. These three institutions were all deeply troubled when he went there, and under his leadership experienced dramatic turnarounds.

He currently serves as president of the National Institute of Christian Leadership, where he lectures on leadership, management, business, and public communication. He is on the preaching team at Free Chapel Church, where he preaches three times monthly at their three megachurch campuses in Georgia and California. He also serves as a consultant for churches, universities, and businesses.

Dr. Rutland is a frequent guest on many Christian television networks and shows, including *The 700 Club*, TBN, Daystar, *James Robison*, *Marilyn Hickey*, and Canada's *100 Huntley Street*. His own radio program is the number-one Christian teaching broadcast in the Atlanta market, with 60,000 listeners daily. Rutland speaks in the U.S. and internationally as often as two hundred times yearly. He and his wife, Alison, have taught together in Global Servants' marriage enrichment conference, ministering to thousands of couples over the years. Mark and Alison Rutland have been married since 1967 and have one son, two daughters, four grandsons, and two granddaughters.

globalservants.org

The author's proceeds from the sale of this book go toward the foreign mission programs of Global Servants.